Practical Training for Business English Conversation

実践ビジネス英会話
コミュニケーションを広げる12フレーム

Z会編集部 編

はじめに

「グローバル化が進む」と言われ始めてからずいぶん月日が流れました。皆さんの身の周りでも，程度の差こそあれ，日本だけにとどまらない世界とのつながりを感じることは確実に増えてきていることと思います。

仕事においても然り。社会人になった頃は業務で英語を使うとは思いもしなかったけれど，海外の業者との取引や，合併・提携などにより，ある日突然英語を使う必要に迫られるようになったという方もいらっしゃることでしょう。

仕事で英語を使うという場合，一番頻度が高いのはEメールだと思います。英文Eメールは慣れないと書き方自体がわからず時間がかかってしまうかもしれませんが，参考書やインターネットの検索を駆使すればなんとか対応することができるのではないでしょうか。しかし，電話や会議で「話す」場面においては，「ちょっと待ってください。今，英語表現を調べますから。」というわけにはいきません。

Ｚ会のキャリアアップコースにも，英語を読んだり聞いたりするのは苦手というわけではないけれど，いざ英語を話すとなると一歩引いてしまう，という声がよく寄せられます。TOEIC®L&R TEST では高得点を取得していて文法事項や定型表現の知識はあるのに「英語を話す」ことができない，という悩みを解決するためにはどうすればよいのでしょうか。

本書が提案する解は，「知識を発信につながる形で再構成し，トレーニングで体に染み込ませる」というものです。

ビジネス現場において，英語で伝えたい内容は，「依頼する」「報告する」「謝罪する」などの機能面に着目すればある程度類型化することができます。本書では，日常的に遭遇するこれらの会話の型を「フレーム」と呼び，どのような状況で，どのような表現を使って会話を展開するのかを学習します。1つ1つの表現はこれまでにどこかで目にしたことがあるものが多いかもしれません。十分に活用されないまま眠っていた知識を，フレームに沿って再構成することで使える道具に変換し，応用力・実践力を高めることを目指しています。

最後までやり通し，書籍の内容を自分のものとして吸収していただけるよう，取り上げるフレームは12個に絞りました。また，書籍が手元にない状況でも学習ができるよう，日本語も含めた多数のトレーニング用音声を用意しています。

本書を手に取ってくださった皆さんが，本書でのトレーニングを通して身に付けた英語力でコミュニケーションの幅を広げ，それぞれのフィールドで一層活躍されることを祈念しております。

2020 年 3 月　Ｚ会編集部

目次

本書の利用法

本書では【フレームの確認】→【基本例文の発話トレーニング～ Quick Response Training ～】→【会話のロールプレイトレーニング～ Role-Playing ～】という流れで、適切な表現で会話を展開する力を身に付けます。基本例文には「日本語→英語」も含めた3種類の音声、会話には登場人物ごとのロールプレイ用音声を用意しています。(→ p.9 参照)

■ フレームの確認

「依頼する」「報告する」「謝罪する」などの行為を行う際には、一定の展開の仕方(型)に沿っているのが普通です。

例えば、同僚に仕事を依頼したい場合、いきなり用件を伝えるのではなく、「申し訳ないけれど」などと**前置き**をしたり、「今お時間よろしいでしょうか」のように相手の都合を確認したりしてから本題に入るのが普通でしょう。そして、**依頼**の内容に加えて、なぜそれを依頼したいのかという**理由**や、いつまでにお願いしたいのかといった**条件**を伝えます。依頼された側の**応答**を受けて、最後に**感謝**の気持ちを伝える、というのが一般的な展開です。

本書では、この型を「フレーム」として提示しています。実際の場面では型通りではない展開も考えられますが、基本の流れを押さえておけば、道筋を見失うことなく話を進めることができるようになります。

各章の最初のページでこの**フレーム(❶)** を示し、**概要(❷)** を説明しています。ここで大枠を頭に入れた上で、基本例文の学習に進みましょう。

■基本例文の発話トレーニング 〜Quick Response Training〜

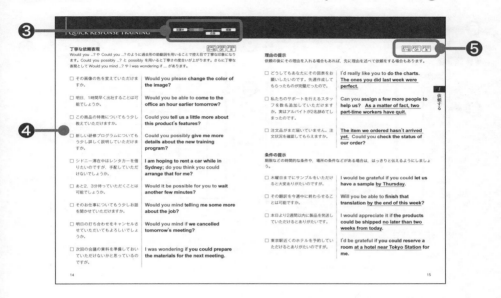

フレームに沿って，それぞれの項目で使える表現を学習します。音声も活用して，基本的な表現をしっかり身に付けましょう。

❸フレームの全体像を示し，その見開きページで学習する項目に色を付けています。会話の展開の中での位置づけを意識しながら学習しましょう。

❹各項目での典型的な発話内容を例文として挙げています。キーとなる構文・表現は青字で示し，盛り込むべき内容として注目すべき箇所には青下線を付しています。

❺ Quick Response Training には，3種類の音声を用意しています。

🎵000 日→英 例文の音声が，それぞれ**日本語→英語**の順に流れます。**例文を目で追いながら，音声に合わせて音読してください。**

🎵000 QR 例文の音声が，それぞれ**日本語→長めのポーズ→英語**の順に流れます。**日本語を聞いて，ポーズの間に英語に変換し，声に出してください。**Quick Response（クイック・レスポンス）**が重要です。すぐに出てこない場合は「日→英」の音声を使ったトレーニングを繰り返し，暗唱できるレベルまで例文に慣れましょう。**

🎵000 英 **英語のみ**の音声が流れます。例文を繰り返し聞く際に日本語が不要な場合は，この音声を使用してください。

■会話のロールプレイトレーニング ～ Role-Playing ～

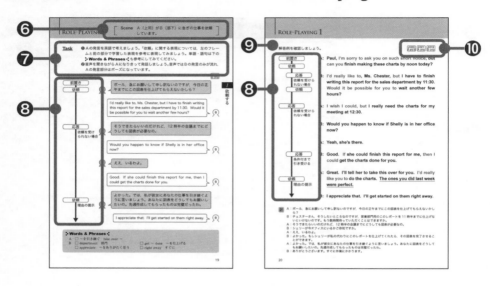

フレームと基本例文を活用して、実際の会話の場面で、ロールプレイを行います。
各章に3つの Scene を用意しています。

❻会話の場面を確認しましょう。

❼ Task の指示を確認しましょう。2人の人物の会話で、A になりきって発話するトレーニングを行います。B の発言のみが流れる音声を聞きながら、ポーズになっている A の部分を自分で発話してください。

❽フレームで、会話の展開の中での位置づけを意識しながら発話内容を考えましょう。Task のページでは A に関する部分のみ表示しています。解答例のページでは B も含めたフレームを表示しています。

❾解答例は Task のページの次のページ（裏側のページ）に掲載しています。

❿ Role-Playing には、3種類の音声を用意しています。Task で行った A のロールプレイの他、B のロールプレイにもチャレンジしてみましょう。

🎵000
A and B ｜ 2人の会話が流れます。スクリプトを見ながら、**会話に合わせて音読してください。**

🎵000
A only ｜ **A の発言のみが流れます。**B の発言部分がポーズになっているので、**B になりきって発音しましょう。**

🎵000
B only ｜ **B の発言のみが流れます。**A の発言部分がポーズになっているので、**A になりきって発音しましょう。**Task ではこの音声を使用します。

8

■ Review & Column

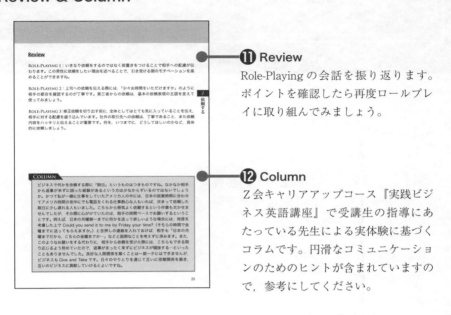

⓫ Review

Role-Playing の会話を振り返ります。ポイントを確認したら再度ロールプレイに取り組んでみましょう。

⓬ Column

Z会キャリアアップコース『実践ビジネス英語講座』で受講生の指導にあたっている先生による実体験に基づくコラムです。円滑なコミュニケーションのためのヒントが含まれていますので，参考にしてください。

■音声のダウンロード方法

本書の音声は，下記 Web サイトからダウンロードすることができます。音声ファイルは MP3 形式で，本書に記載のファイルマークの番号に対応しています。また，下記 Web サイトでストリーミング再生をすることも可能です。

https://service.zkai.co.jp/books/zbooks_data/dlstream?c=5346

1 | 依頼する

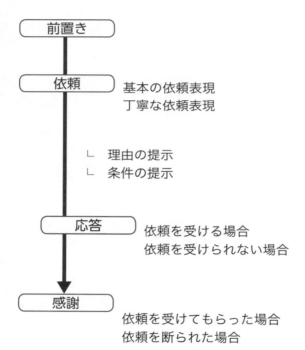

前置き

依頼　　基本の依頼表現
　　　　丁寧な依頼表現

　　└　理由の提示
　　└　条件の提示

応答　　依頼を受ける場合
　　　　依頼を受けられない場合

感謝
　　　　依頼を受けてもらった場合
　　　　依頼を断られた場合

相手に頼みごとをする際には，気持ちよく引き受けてもらえるよう，相手への敬意が伝わるような依頼の仕方・表現を心がけたいものです。
依頼を引き受けようと思ってもらえるような理由を添えるのもよいでしょう。引き受けてもらった際のお礼も含め，一連の表現を学習しましょう。

前置き

相手にお願いをする際には，いきなり用件を伝えるのではなく，「申し訳ないけれど」（I'm sorry ...）などと前置きをしたり，「今お時間よろしいでしょうか」（Do you have a moment?）のように相手の都合を確認すると親切です。相手に配慮した「前置き」の表現を活用して，スムーズなコミュニケーションの実現を目指しましょう。

依頼

基本の依頼表現：依頼をする際よく用いられるのは，助動詞を用いた疑問文（Can you ... ?，Will you ... ?）です。

丁寧な依頼表現：相手が目上の人の場合や重大なお願いをしたい場合には，would や could といった過去形の助動詞を使います。遠慮がちなニュアンスを伝えることができ，結果的に控え目で丁寧な表現となります。

理由の提示：人に依頼する際には，なぜその人に依頼したいのか，なぜその作業が必要かなどの理由を添えると，受け入れてもらいやすくなります。相手が納得しやすい理由を伝えるよう心がけましょう。

条件の提示：依頼表現では期限などの条件を提示することが多いですね。期限を表す際は，前置詞を用いるのが便利です。「～までに」と期限を表す場合は by，「～以内に」と締め切りを伝える場合には within を用います。

応答

依頼表現とあわせて，依頼を受ける表現，依頼を断る表現もおさえておきましょう。断る場合には，相手が納得できるような理由を添えることを心がけましょう。

感謝

依頼を受けてもらったことへの感謝の気持ちを相手に伝えましょう。依頼を断られた場合の表現とあわせて，すぐに口から出てくるようにしておきましょう。

実際の会話では，状況によって「理由」や「条件」がなかったり，依頼→応答が繰り返されたりすることもあります。

前置き

忙しい相手に話しかける時は，「今いいですか」のように都合を聞いてから話し始めるのが基本。そうした「思いやり」の一言があるだけで，忙しくても「少しだけなら…」と時間を割いてくれるかもしれません。相手の都合がつかない時には，When would it be convenient for you?（いつがご都合よろしいですか。）と都合のよいタイミングを聞いた上で出直しましょう。

♪001 日→英　♪002 QR　♪003 英

□ 急にお願いして申し訳ないのですが。

I'm sorry to ask you on such short notice.

□ 今おてすきですか。

Are you free now?

□ ちょっとお聞きしてよいですか。

Can I ask you something?

□ ちょっといいですか。

Have you got a minute?

□ 少しお時間よろしいでしょうか。

Do you have a few minutes to spare?

□ 少しお時間をいただけないでしょうか。

Could you spare me a few minutes?

□ 少しお話しができるでしょうか。

May I speak with you for a minute?

□ あの冊子について今少しお話できますか。

Can we talk a bit about the brochure now?

依頼

基本の依頼表現

♪004 日→英 ♪005 QR ♪006 英

1
依頼する

□ このキャビネットを動かすのを手伝ってもらえますか。

Will you help me move this cabinet?

□ このレポートを完成させるのを手伝ってもらえますか。

Can you help me finish this report?

□ 最寄りの駅までの道順を教えてもらえますか。

Can you give me directions to the nearest station?

□ 新しいキャンペーンについてのご意見を聞かせてもらえますか。

Can we hear your opinion on our new campaign?

□ お約束の日程を変更できませんか。

Can we change the appointment date, please?

□ その作業は来週の金曜日までに仕上げてほしいのですが。

I would like you to finish up that job by Friday of next week.

□ 私のコンピューターのセットアップをやってもらえませんか。

Do you mind setting up my computer?

Tips please は丁寧表現？

依頼の表現というと，please をつけた命令文の形を一番に思い浮かべる人が多いかもしれませんが，please をつけても人に指示をするための命令文なので丁寧な表現とは言えません。依頼をする際は，相手との関係性やお願いしたい内容の負荷の大きさにあわせて，表現を使い分けることがコツです。

丁寧な依頼表現

Would you ...? や Could you ...? のように過去形の助動詞を用いることで控え目で丁寧な印象になります。Could you possibly ...? と possibly を用いると丁寧さの度合いが上がります。さらに丁寧な表現として Would you mind ...? や I was wondering if .... があります。

□ その画像の色を変えていただけますか。

Would you please change the color of the image?

□ 明日，1時間早く出社することは可能でしょうか。

Would you be able to come to the office an hour earlier tomorrow?

□ この商品の特徴についてもう少し教えていただけますか。

Could you tell us a little more about this product's features?

□ 新しい研修プログラムについてもう少し詳しく説明していただけますか。

Could you possibly give me more details about the new training program?

□ シドニー滞在中はレンタカーを借りたいのですが，手配していただけないでしょうか。

I am hoping to rent a car while in Sydney; do you think you could arrange that for me?

□ あと2，3分待っていただくことは可能でしょうか。

Would it be possible for you to wait another few minutes?

□ そのお仕事についてもう少しお話を聞かせていただけますか。

Would you mind telling me some more about the job?

□ 明日の打ち合わせをキャンセルさせていただいてもよろしいでしょうか。

Would you mind if we cancelled tomorrow's meeting?

□ 次回の会議の資料を準備しておいていただけないかと思っているのですが。

I was wondering if you could prepare the materials for the next meeting.

理由の提示

依頼の後にその理由を入れる場合もあれば，先に理由を述べて依頼をする場合もあります。

□ どうしてもあなたにその図表をお願いしたいのです。先週作成してもらったものが完璧だったので。

I'd really like you to do the charts. The ones you did last week were perfect.

□ 私たちのサポートを行えるスタッフを数名追加していただけますか。実はアルバイトが2名辞めてしまったのです。

Can you assign a few more people to help us? As a matter of fact, two part-time workers have quit.

□ 注文品がまだ届いていません。注文状況を確認してもらえますか。

The item we ordered hasn't arrived yet. **Could you check the status of our order?**

条件の提示

期限などの時間的な条件や，場所の条件などがある場合は，はっきりと伝えるようにしましょう。

□ 木曜日までにサンプルをいただけると大変ありがたいのですが。

I would be grateful if you could let us have a sample by Thursday.

□ その翻訳を今週中に終わらせることは可能ですか。

Will you be able to finish that translation by the end of this week?

□ 本日より2週間以内に製品を発送していただけるとありがたいです。

I would appreciate it if the products could be shipped no later than two weeks from today.

□ 東京駅近くのホテルを予約していただけるとありがたいのですが。

I'd be grateful if you could reserve a room at a hotel near Tokyo Station for me.

応答

♪013 日→英　♪014 QR　♪015 英

依頼を受ける場合

☐ もちろんいいですよ。

Sure. ／ Certainly.

☐ 喜んで。

I'd be glad to.

☐ わかりました。何とかやってみます。

Okay. I'll see what I can do.

☐ 了解しました。

Understood.

＊ **I understand.** と同じように使うことができ，普通 I は付けない

☐ もし彼女が私の代わりにレポートを仕上げてくれたら，私はその図表を完了させることができます。

If she could finish this report for me, then I could get the charts done.

＊条件付きで引き受ける

Tips ▶ Would（Do）you mind ...? に対する答え方

Would（Do）you mind ...? はもともと「…するのが気になりますか」という意味なので，「（気になりません→）いいですよ」と依頼を承諾する時には否定の表現を用います。

Do you mind setting up my desktop computer?
（私のデスクトップコンピューターのセットアップをやってもらえませんか。）
No, not at all. ／ Of course not. ／ Certainly not.（ええ，いいですよ。）
面と向かって話す場合などは，受け入れる答えとして Sure. を使っても拒絶していると受け取られることはありませんが，まずは本来の文の意味を正確に理解しましょう。
断る場合は，Yes, I do mind.　となりますが，実際には I'm sorry I can't, because ... のように答える方が相手によい印象を与えられます。

依頼を受けられない場合

- [ ] そうできたらいいのですが，12時半の会議までにそれを準備しなければならないのです。

  I wish I could, but I need to have it ready for my meeting at 12:30.

- [ ] お役に立てればよいのですが，私はそのフォルダへのアクセス権がないのです。

  I wish I could help you, but I don't have access to the folder.

- [ ] そうしたいところなのですが，このレポートで手一杯なのです。

  I'd really like to, but I have my hands full with this report.

- [ ] ごめんなさい。これから出掛けるところなのです。

  I'm sorry, but I'm about to go out.

- [ ] あいにく，この商品は一時的に品切れとなっており，お届けまでに3週間かかってしまいます。

  I'm afraid this item is temporarily out of stock and it'll take three weeks for delivery.

- [ ] 残念ながら，先約があって参加することができません。

  Unfortunately, due to prior commitments, I won't be able to attend.

1

依頼する

Tips ▶ No! 以外の断り方を身に付けよう

依頼を断る場合は，頭ごなしに No! と言うのではなく，I wish I could, but ～ ／ I'm afraid ... ／ I'm sorry, but ... ／ Unfortunately, ... などのフレーズを入れ，相手に納得してもらえるような理由を簡潔に示すことが大切です。また，断る際にただ「できません」「行けません」などと答えてしまうと，それ以上会話が弾まず，友好的な関係を維持したりビジネスを進展させたりすることにつながりませんので，可能な限り「これならできます」といった代案を示すということも心がけるとよいでしょう。

感謝

依頼を受けてもらった場合

□ お力添え，ありがとうございます。

Thank you for your help. ／
I appreciate your help.

□ ありがとう。あなたは本当に頼りになります。

Thanks. I knew I could rely on you.

□ どうもありがとう，吉田さん。

Thank you so much, Mr.Yoshida.

＊後ろに相手の名前をつけるとより感情がこもった感じになる

□ ご親切にありがとうございます。

I appreciate your kindness. ／
That's very kind of you.

□ 恩に着ます（ありがとう）。

I owe you. ／ I owe you one.

＊同僚に対するお礼など，カジュアルな表現

依頼を断られた場合

□ 大丈夫です。心配しないで。私が何とかしますから。

It's okay. Don't worry about it. I'll take care of it.

□ 大丈夫です。問題ありません。他の人に聞いてみますから。

It's okay. No problem. I'll ask someone else.

□ 大丈夫です。いずれにせよありがとう。

OK. Thank you, anyway.

Tips 「問題ないです」「大丈夫です」その一言がさっと言えるように

依頼に対し相手が快く Yes と答えてくれるとは限りません。そういった場合に，あからさまに「なぜできないんだ！」といった態度を示すと，職場の人間関係を悪くしてしまうことになりかねません。実際に断られて「困った…」という場合でも「相手がその提案に対応できるかどうか検討してくれた」ことに対して，とりあえず，「ありがとう」「心配しないで」といった言葉をかけられるようなフレーズを覚えておき，英語でも大人の対応ができるようにしておきたいですね。

ROLE-PLAYING 1

Task

❶ Aの発言を英語で考えましょう。「依頼」に関する表現については，左のフレームと前の部分で学習した表現を参考に表現してみましょう。単語・語句は下の **❖ Words & Phrases ❖** も参考にしてみてください。

❷ 音声を聞きながらAになりきって発話しましょう。音声ではBの発言のみが流れ，Aの発言部分はポーズになっています。

♪019
B only

1
依頼する

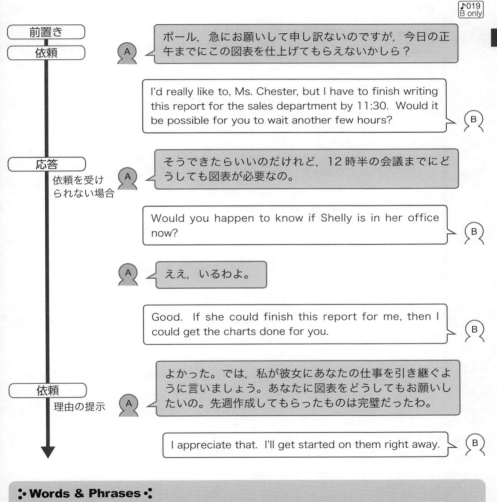

前置き
依頼

A： ポール，急にお願いして申し訳ないのですが，今日の正午までにこの図表を仕上げてもらえないかしら？

B： I'd really like to, Ms. Chester, but I have to finish writing this report for the sales department by 11:30. Would it be possible for you to wait another few hours?

応答
依頼を受けられない場合

A： そうできたらいいのだけれど，12時半の会議までにどうしても図表が必要なの。

B： Would you happen to know if Shelly is in her office now?

A： ええ，いるわよ。

B： Good. If she could finish this report for me, then I could get the charts done for you.

依頼
理由の提示

A： よかった。では，私が彼女にあなたの仕事を引き継ぐように言いましょう。あなたに図表をどうしてもお願いしたいの。先週作成してもらったものは完璧だったわ。

B： I appreciate that. I'll get started on them right away.

❖ Words & Phrases ❖

A　□ ～を引き継ぐ　take over ～
B　□ department　部門
　　□ appreciate　～をありがたく思う

　　□ get ～ done　～を仕上げる
　　□ right away　すぐに

ROLE-PLAYING 1

解答例を確認しましょう。

A and B ♪021 A only ♪019 B only

A: Paul, I'm sorry to ask you on such short notice, but can you finish making these charts by noon today?

B: I'd really like to, Ms. Chester, but I have to finish writing this report for the sales department by 11:30. Would it be possible for you to wait another few hours?

A: I wish I could, but I really need the charts for my meeting at 12:30.

B: Would you happen to know if Shelly is in her office now?

A: Yeah, she's there.

B: Good. If she could finish this report for me, then I could get the charts done for you.

A: Great. I'll tell her to take this over for you. I'd really like you to do the charts. The ones you did last week were perfect.

B: I appreciate that. I'll get started on them right away.

訳 A：ポール，急にお願いして申し訳ないのですが，今日の正午までにこの図表を仕上げてもらえないかしら？
B：チェスターさん，そうしたいところなのですが，営業部門用のこのレポートを11時半までに仕上げないといけないのです。もう数時間待っていただくことはできますか。
A：そうできたらいいのだけれど，12時半の会議までにどうしても図表が必要なの。
B：シェリーが今オフィスにいるかご存知ですか。
A：ええ，いるわよ。
B：よかった。もしシェリーが私の代わりにこのレポートを仕上げてくれたら，その図表を完了させることができます。
A：よかった。では，私が彼女にあなたの仕事を引き継ぐように言いましょう。あなたに図表をどうしてもお願いしたいの。先週作成してもらったものは完璧だったわ。
B：ありがとうございます。すぐに作業にかかります。

ROLE-PLAYING 2

Task
❶ Aの発言を英語で考えましょう。「依頼」に関する表現については，左のフレームと前の部分で学習した表現を参考に表現してみましょう。単語・語句は下の **⁛ Words & Phrases ⁛** も参考にしてみてください。
❷ 音声を聞きながらAになりきって発話しましょう。音声ではBの発言のみが流れ，Aの発言部分はポーズになっています。

♪022
B only

1 依頼する

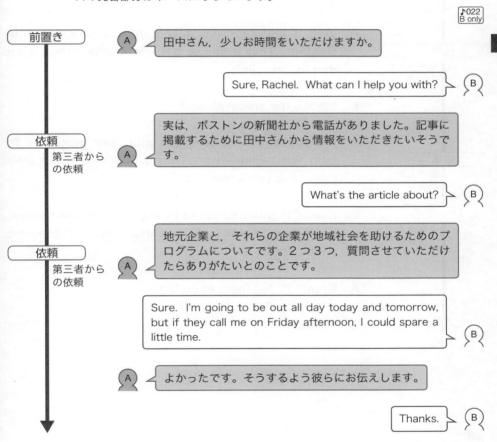

前置き

A 田中さん，少しお時間をいただけますか。

B Sure, Rachel. What can I help you with?

依頼
第三者からの依頼

A 実は，ボストンの新聞社から電話がありました。記事に掲載するために田中さんから情報をいただきたいそうです。

B What's the article about?

依頼
第三者からの依頼

A 地元企業と，それらの企業が地域社会を助けるためのプログラムについてです。２つ３つ，質問させていただけたらありがたいとのことです。

B Sure. I'm going to be out all day today and tomorrow, but if they call me on Friday afternoon, I could spare a little time.

A よかったです。そうするよう彼らにお伝えします。

B Thanks.

⁛ Words & Phrases ⁛

A □ ～（電話，情報など）を受ける receive 　　□ 記事 article
　 □ 地元企業 local business 　　　　　　　　□ 地域社会 community
B □ all day 一日中

解答例を確認しましょう。

♪023 A and B　♪024 A only　♪022 B only

前置き

A: Mr. Tanaka, do you have a moment?

B: Sure, Rachel. What can I help you with?

依頼
第三者からの依頼

A: Well, I just received a call from a newspaper in Boston. They'd like to get some information from you for an article.

B: What's the article about?

依頼
第三者からの依頼

A: It's about local businesses and their programs to help the community. They'd appreciate it if they could ask you a few questions.

応答
条件付きで引き受ける

B: Sure. I'm going to be out all day today and tomorrow, but if they call me on Friday afternoon, I could spare a little time.

A: Great. I'll tell them to do that.

B: Thanks.

訳　A：田中さん，少しお時間をいただけますか。
　　B：もちろんいいですよ，レイチェル。どのような用件ですか。
　　A：実は，ボストンの新聞社から電話がありました。記事に掲載するために田中さんから情報をいただきたいそうです。
　　B：何についての記事なのかな。
　　A：地元企業と，それらの企業が地域社会を助けるためのプログラムについてです。2つ3つ，質問させていただけたらありがたいとのことです。
　　B：もちろんいいですよ。今日一日中と明日は留守にするけれど，金曜の午後にお電話をもらえれば少し時間がとれると思うよ。
　　A：よかったです。そうするよう彼らにお伝えします。
　　B：ありがとう。

ROLE-PLAYING 3

Task
❶ Aの発言を英語で考えましょう。「依頼」に関する表現については，左のフレームと前の部分で学習した表現を参考に表現してみましょう。単語・語句は下の **∵ Words & Phrases ∵** も参考にしてみてください。
❷ 音声を聞きながらAになりきって発話しましょう。音声ではBの発言のみが流れ，Aの発言部分はポーズになっています。

♪025
B only

1
依頼する

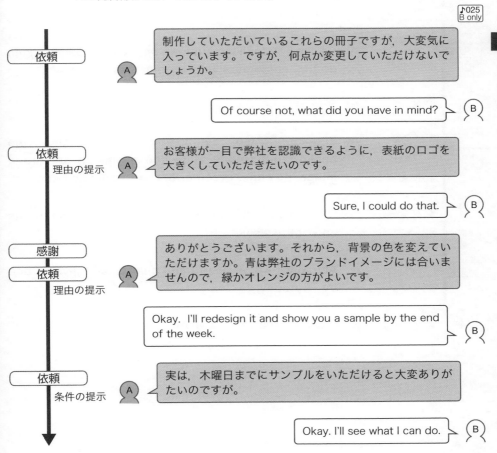

依頼
A 制作していただいているこれらの冊子ですが，大変気に入っています。ですが，何点か変更していただけないでしょうか。

Of course not, what did you have in mind? B

依頼
理由の提示
A お客様が一目で弊社を認識できるように，表紙のロゴを大きくしていただきたいのです。

Sure, I could do that. B

感謝
依頼
理由の提示
A ありがとうございます。それから，背景の色を変えていただけますか。青は弊社のブランドイメージには合いませんので，緑かオレンジの方がよいです。

Okay. I'll redesign it and show you a sample by the end of the week. B

依頼
条件の提示
A 実は，木曜日までにサンプルをいただけると大変ありがたいのですが。

Okay. I'll see what I can do. B

∵ Words & Phrases ∵
A □ 冊子，パンフレット brochure 　 □ 顧客 customer
　 □ AかB either A or B
B □ have ~ in mind ～を考えている 　 □ by the end of ~ ～の終わりまでに

23

解答例を確認しましょう。

♪026 A and B　♪027 A only　♪025 B only

依頼

A: I really like what you've done with these brochures. But would you mind making a few changes?

応答

B: Of course not, what did you have in mind?

依頼
理由の提示

A: I'd like you to make our logo on the front page bigger, so that customers will recognize us at a glance.

応答

B: Sure, I could do that.

感謝
依頼
理由の提示

A: Thanks. Also, could you please change the background color? Blue doesn't match our brand image, so either green or orange would be better.

応答

B: Okay. I'll redesign it and show you a sample by the end of the week.

依頼
条件の提示

A: Actually, I would be grateful if you could give us one by Thursday.

応答

B: Okay. I'll see what I can do.

訳　A：制作していただいているこれらの冊子ですが，大変気に入っています。ですが，何点か変更していただけないでしょうか。
　　B：いいですよ。どのような変更を考えていましたか。
　　A：お客様が一目で弊社を認識できるように，表紙のロゴを大きくしていただきたいのです。
　　B：わかりました，できると思います。
　　A：ありがとうございます。それから，背景の色を変えていただけますか。青は弊社のブランドイメージには合いませんので，緑かオレンジの方がよいです。
　　B：了解しました。もう一度デザインして，今週中にサンプルをお見せします。
　　A：実は，木曜日までにサンプルをいただけると大変ありがたいのですが。
　　B：わかりました。何とかやってみます。

Review

ROLE-PLAYING 1：いきなり依頼をするのではなく前置きをつけることで相手への配慮が伝わります。この男性に依頼をしたい理由を述べることで，引き受ける側のモチベーションを高めることができますね。

ROLE-PLAYING 2：上司への依頼を伝える際には，「少々お時間をいただけますか」のように相手の都合を確認するのが丁寧です。第三者からの依頼は，基本の依頼表現の主語を変えて使ってみましょう。

ROLE-PLAYING 3：修正依頼を切り出す前に，全体としてはとても気に入っていることを伝え，相手に対する配慮を盛り込んでいます。社外の取引先への依頼は，丁寧であること，また依頼内容をハッキリと伝えることが重要です。何を，いつまでに，どうしてほしいのかなど，具体的に依頼しましょう。

1

依頼する

COLUMN

　ビジネスで何かを依頼する際に「期日」というものはつきものですね。なかなか相手から返事が来ずに困った経験があるという方は少なからずいるのではないでしょうか。かつて私が一緒に仕事をしていたアメリカ人の中には，日本の就業時間に合わせてアメリカ時間の夜中にでも電話をくれる仕事熱心な人もいれば，決まって依頼した期日に少し遅れる人もいました。こちらから根気よく依頼するという作業も欠かせませんでしたが，その際に心がけていたのは，相手の時間ベースでお願いするということです。例えば，日本の月曜朝一までに何かを送って欲しいような場合には，時差を考慮した上で Could you send it to me by Friday your time?（そちらの時間で金曜までに送ってもらえますか。）と念押しの連絡を入れておけば，相手も「日本の月曜までだから，こちらの金曜までか…」などと面倒なことを考えずに済みます。また，このようなお願いをする代わりに，相手から依頼を受けた際には，こちらもできる限り応じるよう努めていたので，返事がまったく来ずにビジネスが頓挫する…といったこともありませんでした。良好な人間関係を築くことは一朝一夕にはできませんが，ビジネスも Give and Take です。日々のやりとりを通じて互いに信頼関係を築き，互いのビジネスに貢献していけるとよいですね。

2 | 指示する

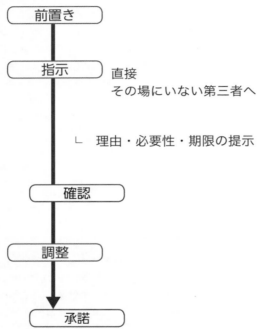

前置き

指示　　直接
　　　　その場にいない第三者へ

└ 理由・必要性・期限の提示

確認

調整

承諾

業務の中では，部下・後輩など様々な相手に指示を出す必要が生じますが，「遂行して
ほしい内容」また何よりも「遂行してほしいという話し手の意思」を伝えることで，
双方に誤解なくスムーズな指示出しをすることが可能です。「必要性」を的確に伝え，
相手にその任務の重要性を理解してもらうことも重要です。

前置き

相手に時間を割いて何かを行うことを「指示する」場合にも，「依頼する」場合と同
様，配慮や敬意の気持ちを示すことが大切です。「依頼する」で学んだ前置きの表現を，
「指示する」際にも使いこなせるようにしておきましょう。(「1　依頼する　前置き」
(p.12) 参照)

指示

直接：指示する場面で使える最も簡単な表現は**命令文**です。ただし，命令文は相手
の意図を考慮せず指示内容を伝える表現なので使う相手には注意が必要です。相手
に配慮した指示出しの表現としては I want you to *do* ... や I'd like you to *do* ...
(こちらの方がより丁寧) などを覚えておくとよいでしょう。

その場にいない第三者へ：業務で指示を出す場合には，指示を受ける相手が目の
前にいない第三者であるケースも考えられます。このような場合には，**使役動詞**を
用いた表現が便利です。

理由・必要性・期限の提示：指示を出す場合には「なぜその仕事を行う必要があ
るのか」，「いつまでに行う必要があるのか」を明確に伝えるようにすると，相手の
中での優先度が上がり期限内に仕事を行ってもらえる可能性が高くなります。

確認

相手の指示を理解できないまま作業を始めると，後々問題が生じてしまうおそれが
あります。そういったトラブルを回避できるよう，相手に聞き返すことも大切です。

調整

相手の反応によっては，指示内容を詳細に説明したり，「〜日まで待てますよ」と期
限を延長したり，「…については〜に代わりを努めるよう頼んでください」といった
譲歩案を相手に示すことで相手の負担を軽減したりする配慮が必要です。

承諾

指示を受けたことに対して，「承諾しました」「引き受けました」という場合には，
それを相手に明確に示し，相手に安心感を与えられるようにしていきましょう。

「確認」や「調整」が間に入らずに，直接「指示」→「承諾」という流れになることもあります。

指示

直接

命令文や I want you to *do* ... ／ I'd like you to *do* ... といった表現の他，you'll have to *do* ...（…しなくてはならないでしょう）のような表現も，文脈から「…してください」という指示のニュアンスを表すことがあります。また，一つ前の「依頼する」で扱った依頼表現も指示出しの際に使うことができます。依頼表現は目上の人に対しても使いやすい活用範囲の広い表現なので，うまく使いこなせるようにしておくとよいですね。

□ 彼女に来週時間があるかどうか聞いてください。	**Ask her if she is free next week.**
□ 人目につくところにパスワードを書かないよう十分に注意してください。	**Be very careful not to write your password down anywhere someone might see it.**
□ 今日中に明日の会議の資料を忘れずに印刷しておいてください。	**Remember to print out the handouts for tomorrow's meeting by the end of today.**
□ 会議終了まで，誰も部屋に入れないようにしてください。	**Don't let anyone enter the room until the meeting is over.**
□ 約束の時間に遅れないようにしてください。	**Don't be late for your appointment.**
□ お客様の到着前に，忘れずに会議室をきれいにしておいてください。	**Don't forget to clean the conference room before our guests arrive.**

フレームに沿って，使える表現をマスターしましょう。音声を活用して，日本語→英語がスムーズに出てくるようになるまで繰り返し声に出して練習しましょう。

□ 今使っているカートリッジがなくなる前に，代替品を注文しておいてください。

I want you to order a replacement cartridge before the current one runs out.

□ メンバーシップを更新するには，この書類に記入をしていただく必要があります。

In order to renew your membership, I need you to fill out this form.

□ 空港からホテルまでの送迎の手配をお願いします。

I'd like you to arrange an airport transfer to the hotel for me.

□ 会場入口でIDの提示が必要です。

You're required to show your ID at the venue entrance.

□ その問題については，経営陣と話し合う必要があるでしょう。

You'll have to talk with the management about that issue.

□ 今週末までにその仕事を終わらせるようにしてください。

You need to complete this task by the end of this week.

指示する

Tips 強制力を伝える助動詞 must, have to, should

3つの助動詞が持つ意味を理解して，指示を出す際に正しく使いこなせるようにしておきましょう。

must：「…しなければならない」：3つの中で最も強制力が強く，①話し手が強く何かを必要だと感じている場合，②強く何かを人に勧めたい場合，③上司から部下へ指示を出す場合などに使います。

have to：客観的な根拠・外部的な事情があって「そうしなければならない」ことを表します。

should：「…すべきである」という意味で覚えている人が多いかもしれませんが，実際は強制力は弱く「…した方がよい」というアドバイス的なニュアンスがあります。

29

QUICK RESPONSE TRAINING

その場にいない第三者へ

♪031 日→英 / ♪032 QR / ♪033 英

業務の中で指示を出す際，相手は対話をしている相手とは限りません。「○○部の ×× さんに資料を用意してもらう」など，その場にはいない第三者に仕事をお願いする場合もあります。get ～ to *do* ／ have ～ *do*「～に…してもらう」などを用いて，「誰に何を行ってもらう必要があるのか」を明確に伝えられるようにしていきましょう。

☐ カスタマーサービス部門のユリに，サービスの質を向上させるようお願いできないでしょうか。	**Could we ask Yuri in the customer service department to improve their service quality?**
☐ このことについて話し合うための会議を，サマンサに準備してもらいます。	**I'll have Samantha organize a meeting to talk about this issue.**
☐ 次の販売キャンペーンについてのアイデアを彼女に考えてもらいましょう。	**I'll get her to come up with some ideas for our next marketing campaign.**
☐ 他のスタッフにも，イベントに遅れないよう伝えないといけないですね。	**We have to tell the rest of the staff not to be late for the event.**

Tips ▶ 第三者への指示出しの際に便利な使役動詞

使役動詞は，その場にいない第三者への指示を表すのに便利な表現です。いずれも「人に…させる」のように訳すことができますが，少しずつニュアンスが異なります。続く動詞が原形動詞なのか，to 不定詞なのかもしっかりと押さえて，使いこなせるようにしておくとよいでしょう。

make ＋人＋動詞の原形「人に（無理にでも）させる」（強制的なニュアンスがある）
get ＋人＋ to 不定詞「人に（説得して）…させる」（努力や説得を要する）
let ＋人＋動詞の原形「人に…させる」（相手が望むことを許可することを含意する）
have ＋人＋ 動詞の原形「人に…させる」（当然行ってもらえることをやってもらう）

使役動詞とは異なりますが，人を動かす表現として以下も確認しておきましょう。

tell ＋人＋ to 不定詞「人に…するように言う」（命令に近いニュアンスがある）
ask ＋人＋ to 不定詞「人に…してくれるよう頼む」（お願いするというイメージ）

理由・必要性・期限の提示

指示を出す場合には，なぜそれが必要なのか，いつまでに必要なのかを合わせて伝えると，指示を受けた側の優先度やモチベーションを上げることができます。理由や必要性を表す because, as, so that …（…できるよう），期限を示す by（〜までに），緊急性を示す as soon as possible（できるだけ早く）などの表現を押さえておきましょう。

□ これは最優先案件なので，明日の午前中までに行ってください。

This is our top priority, so get it done by tomorrow morning.

□ 本件にすぐに取りかかってください。

I need you to get started on this right away.

□ 新製品発売イベントの詳細について，できるだけ早く知らせてほしいと思います。

I want you to provide me with the details of the product launch event as soon as possible.

□ 今から30分以内に，この配布資料のコピーが20部必要なのですが，お願いできますか。

I need 20 copies of this handout within the next thirty minutes. Can you do it?

□ 明日お客様がいらっしゃる予定です。会議室の準備をお願いできますか。

My clients will be here tomorrow. Would you get the conference room ready?

□ 急ぐ必要はありませんよ。終わったら教えてください。

There's no rush. Just let me know when you've finished it.

＊緊急性がないことの提示

確認

簡単な指示内容で確認が不要な場合もありますが，不明な点や不安な点がある場合や，自分の理解が正しいか確認したい場合などには，指示を受けた側が聞き返すことも大切です。

♪037 日→英　♪038 QR　♪039 英

□ 他に何かありますか。

What else?

□ もう一度おっしゃっていただけますか。

Could you say that again?

□ 正しく理解できているか確認させてください。

Let me see if I've understood you correctly.

□ わかりました。締め切りはいつでしょうか。

Understood. When is the deadline?

□ ただ，一つだけいいですか。実のところ，その日に先約があるのですが。

Just one thing, though. Actually I have another appointment on that day.

□ もちろんです。ですが，これまで一度も経験がないのです。まず何をすればよいでしょうか。

Sure, but I've never done this before. What do I need to do first?

□ 今週は十分な時間がないかもしれないのですが。

I'm afraid I won't have enough time this week.

＊現状を伝えて，期限の延長などを求める

□ 急ぎの仕事を抱えているので，締め切りを数日延ばしてもらうことは可能でしょうか。

Would it be possible to extend the deadline by few more days, because I have some urgent work to do?

＊現状を伝えて，期限の延長などを求める

調整

相手から質問があった場合には，具体的な仕事内容の説明や優先順位の指示が必要になるでしょう。また，指示通りの遂行が難しそうな場合には，他の人への割り振りを指示したり，依頼内容の軽減あるいは期限の延長を伝えたりします。

♪040 日→英 ♪041 QR ♪042 英

☐ まず最初に，全員が必ず定刻に着席するようにしてください。

First of all, you'll have to make sure everyone gets to their seats on time.

＊具体的な仕事内容の説明

☐ 急ぎではありませんから，このために残業する必要はありませんよ。

It's not urgent, so there's no need for you to work overtime for this.

＊軽減の提示

☐ 問題がない限り，今週はお客様のところを訪問する必要はないですよ。

You don't have to visit the client this week unless you have a problem.

＊軽減の提示

☐ そちらを優先してください。こちらは金曜まで待てますから。

You should do that first. This can wait until Friday.

＊優先順位の指示／期限延長の提示

☐ 一人でやる必要はないですよ。忙しければ，チームの誰かにサポートを頼んでください。

You don't have to do this on your own. If you're too busy, ask someone in your team for help.

＊他の人への割り振りの指示

Tips ▶ 必要がないことを表す表現

「…しておいてください；…しておくように」といった指示に対して，「…する必要はない；…しなくてよい」と言う場合は，**don't have to** *do*，**don't need to** *do*，**be not required to** *do* を用います。また，have to に only を加えて **only have to** *do*，**have only to** *do* とすれば「…しさえすればよい」という意味になります。

must の否定 **must not** は「…してはならない」，should の否定 **should not** は「…すべきではない」という禁止の意味を表します。不必要の意味ではないので注意が必要です。

承諾

♪043 日→英　♪044 QR　♪045 英

□ わかりました。　　　　　　　　　OK, got it. ／ I got it.

□ わかりました。　　　　　　　　　I understand. ／ Understood.

　　　　　　　　　　　　　　　　　＊I got it. やOKよりもフォーマルな印象となる

□ もちろんです，お任せください。　Sure, I'll take care of it.

□ もちろん，問題ありません。すぐ　Sure, no problem. I'll get on it right
　にやります。　　　　　　　　　　away.

□ かしこまりました。15日までに終　Certainly. I'll get it done by the 15th.
　わらせます。

Tips ▶ ビジネス英語で「もちろん」はどう表すのが適切？

相手からの指示に対して「承諾」を示す際には「もちろんです」と返すことができますが，英語で「もちろんです」はどう表現するのか？各語のニュアンスの違いとともに見ていきましょう。

Sure.：何か依頼・指示された時の返答として用います。相手から Thank you. と言われた時の返答「どういたしまして」の意味でも Sure. を用いることがあります。

Certainly.：sure と意味的には同じですが，日本語の「かしこまりました」により近いニュアンスです。フォーマルな語なので，取引先との会話などにも適しています。

Of course.：相手の依頼内容に対して「もちろん（いいですよ）」と許可を与える場合に使います。文脈によっては，「そんなの当然」といったニュアンスに響くこともありますので使う場面には注意が必要です。

No problem.：何か依頼された時に，Sure. の代わりに用いることができる表現です。

ROLE-PLAYING 1

Task
❶ Aの発言を英語で考えましょう。「指示」に関する表現については，左のフレームと前の部分で学習した表現を参考に表現してみましょう。単語・語句は下の ❖ **Words & Phrases** ❖ も参考にしてみてください。
❷ 音声を聞きながらAになりきって発話しましょう。音声ではBの発言のみが流れ，Aの発言部分はポーズになっています。

♪046
B only

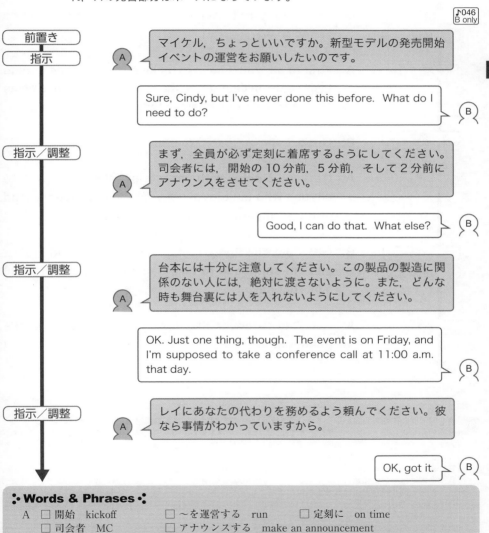

前置き
指示

A　マイケル，ちょっといいですか。新型モデルの発売開始イベントの運営をお願いしたいのです。

B　Sure, Cindy, but I've never done this before. What do I need to do?

指示／調整

A　まず，全員が必ず定刻に着席するようにしてください。司会者には，開始の10分前，5分前，そして2分前にアナウンスをさせてください。

B　Good, I can do that. What else?

指示／調整

A　台本には十分に注意してください。この製品の製造に関係のない人には，絶対に渡さないように。また，どんな時も舞台裏には人を入れないようにしてください。

B　OK. Just one thing, though. The event is on Friday, and I'm supposed to take a conference call at 11:00 a.m. that day.

指示／調整

A　レイにあなたの代わりを務めるよう頼んでください。彼なら事情がわかっていますから。

B　OK, got it.

2
指示する

❖ Words & Phrases ❖
A　□ 開始　kickoff　　　　□ ～を運営する　run　　　□ 定刻に　on time
　　□ 司会者　MC　　　　　□ アナウンスする　make an announcement
　　□ ～に気を付ける　be careful with ～　　　□（仕事の）代理をする　cover
B　□ else　他に

35

ROLE-PLAYING 1

解答例を確認しましょう。

♪047 A and B　♪048 A only　♪046 B only

前置き
指示

A: Michael, do you have a moment? I want you to run the new model kickoff event for us.

承諾
確認

B: Sure, Cindy, but I've never done this before. What do I need to do?

指示／調整

A: First of all, you'll have to make sure everyone gets to their seats on time. Have the MC make announcements 10, 5 and 2 minutes before the start.

承諾
確認

B: Good, I can do that. What else?

指示／調整

A: Be very careful with the script. Never give it to anyone who isn't involved with the production. And don't let anyone go backstage at any time.

承諾
確認

B: OK. Just one thing, though. The event is on Friday, and I'm supposed to take a conference call at 11:00 a.m. that day.

指示／調整

A: Ask Ray to cover that for you. He knows what's going on.

承諾

B: OK, got it.

訳　A：マイケル，ちょっといいですか。新型モデルの発売開始イベントの運営をお願いしたいのです。
　　B：わかりました，シンディさん。ですが，これまで一度も経験がないのです。何をすればよろしいですか。
　　A：まず，全員が必ず定刻に着席するようにしてください。司会者には，開始の10分前，5分前，そして2分前にアナウンスをさせてください。
　　B：よかった，それならできそうです。他には何をすればいいですか。
　　A：台本には十分に注意してください。この製品の製造に関係のない人には，絶対に渡さないように。また，どんな時も舞台裏には人を入れないようにしてください。
　　B：わかりました。ただ，一つだけいいですか。イベントは金曜日ですが，その日の午前11時に電話会議の予定が入っているのです。
　　A：レイにあなたの代わりを務めるよう頼んでください。彼なら事情がわかっていますから。
　　B：承知しました。

ROLE-PLAYING 2

Task
❶ Aの発言を英語で考えましょう。「指示」に関する表現については，左のフレームと前の部分で学習した表現を参考に表現してみましょう。単語・語句は下の **∵ Words & Phrases ∵** も参考にしてみてください。
❷ 音声を聞きながらAになりきって発話しましょう。音声ではBの発言のみが流れ，Aの発言部分はポーズになっています。

♪049
B only

指示
理由・必要性の提示

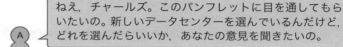

ねえ，チャールズ。このパンフレットに目を通してもらいたいの。新しいデータセンターを選んでいるんだけど，どれを選んだらいいか，あなたの意見を聞きたいの。

> Sure, Mary. What are your criteria ? ⟨B⟩

指示／調整

バックアップ電源やエアコンなんかの最新技術機器があることは絶対よ。それから，安全な立地でなければならないわ。

> All right... I'd like to help, but I don't really know much about data centers, or even computers, for that matter. ⟨B⟩

調整

大丈夫よ。専門家でなくていいの。ただ，あなたから見て３つのセンターの中でどれが一番印象がいいかを知りたいの。パンフレットを読めばたいていわかるでしょう。

> In that case, I'll take a look at them after I finish my e-mails today. ⟨B⟩

調整

どうもありがとう。急いでいないから，明日か木曜日でもいいわ。

2

指示する

∵ Words & Phrases ∵

A ☐ パンフレット brochure   ☐ 最新の latest   ☐ 安全な secure
  ☐ 立地 location   ☐ 専門家 specialist
  ☐ ～に印象を与える make an impression on ～
B ☐ criteria 基準 criterion の複数形。

37

ROLE-PLAYING 2

解答例を確認しましょう。

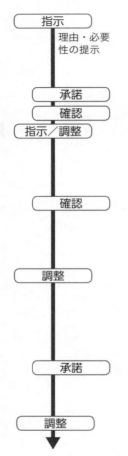

指示
理由・必要
性の提示

A: Hi, Charles. I need you to **look over** these brochures. We're choosing a new data center and I'd like to hear your opinion on which one to select.

承諾
確認

B: Sure, **Mary**. What are your criteria?

指示／調整

A: **Be** sure it has the latest technologies, such as backup power and air conditioning. And it has to be in a secure location.

確認

B: All right... I'd like to help, but I don't really know much about data centers, or even computers, for that matter.

調整

A: It's OK. You don't have to be a specialist. I just want to see which of these three centers makes the best impression on you. You can usually tell by reading the brochures.

承諾

B: In that case, I'll take a look at them after I finish my e-mails today.

調整

A: Thanks a lot. We're not in a hurry, so tomorrow or Thursday is fine, too.

訳 A：ねえ，チャールズ。このパンフレットに目を通してもらいたいの。新しいデータセンターを選んでいるんだけど，どれを選んだらいいか，あなたの意見を聞きたいの。
　　B：もちろんです，メアリー。どんな基準ですか？
　　A：バックアップ電源やエアコンなんかの最新技術機器があることは絶対よ。それから，安全な立地でなければならないわ。
　　B：なるほど…。力になりたいのですが，データセンターについてはあまり詳しくはないのです。はっきり申しますとコンピューターについても。
　　A：大丈夫よ。専門家でなくていいの。ただ，あなたから見て3つのセンターの中でどれが一番印象がいいかを知りたいの。パンフレットを読めばたいていわかるでしょう。
　　B：それなら，今日メールを処理した後，見るようにします。
　　A：どうもありがとう。急いでいないから，明日か木曜日でもいいわ。

ROLE-PLAYING 3

Task
❶ Aの発言を英語で考えましょう。「指示」に関する表現については，左のフレームと前の部分で学習した表現を参考に表現してみましょう。単語・語句は下の **∴Words & Phrases ∴** も参考にしてみてください。
❷ 音声を聞きながらAになりきって発話しましょう。音声ではBの発言のみが流れ，Aの発言部分はポーズになっています。

♪052
B only

指示
理由・必要性の提示

A ヘルプデスクにお電話くださる方の待ち時間が非常に長くなっているんだ。

B We have to do something about that. What do you suggest?

指示
その場にいない第三者へ

A まず，人事部に電話を受ける従業員を数名雇ってもらうべきだよ。

B That would help. But we also need to redirect some of that traffic to the website.

指示
理由・必要性の提示
その場にいない第三者へ

A ウェブサイトのヘルプ欄が，少々わかりにくいという意見が多いんだ。IT部門のカナに再設計するようお願いできないかな。

B Sure, I'll get her to come up with some ideas.

A 最後に，このことを他のスタッフにも伝えないといけないね。知らない人も結構いると思うんだ。

B OK. I'll have Samantha organize a meeting to get the word out.

∴ Words & Phrases ∴

A
- [ ] 上がる：長くなる go up
- [ ] わかりにくい，ややこしい confusing

B
- [ ] redirect ～を異なる方向に向ける
- [ ] get the word out みんなに知らせる

- [ ] 人事部 personnel department
- [ ] 残り rest
- [ ] traffic 通話量

2
指示する

39

ROLE-PLAYING 3

解答例を確認しましょう。

指示
理由・必要
性の提示

A: The wait times for people calling our help desk have really gone up.

B: We have to do something about that. What do you suggest?

指示
その場にいな
い第三者へ

A: First we should get the personnel department to hire a few more employees to take phone calls.

B: That would help. But we also need to redirect some of that traffic to the website.

指示
理由・必要
性の提示
その場にいな
い第三者へ

A: A lot of people say the help section of the website is a little confusing. Could we ask Kana in the IT department to redesign it?

指示
その場にいな
い第三者へ

B: Sure, I'll get her to come up with some ideas.

A: Finally, we have to tell the rest of the staff that this is happening. I don't think enough people know.

指示
その場にいな
い第三者へ

B: OK. I'll have Samantha organize a meeting to get the word out.

訳
A：ヘルプデスクにお電話くださる方の待ち時間が非常に長くなっているんだ。
B：何か手を打たないといけないわね。どうしたらいいと思う？
A：まず，人事部に電話を受ける従業員を数名雇ってもらうべきだよ。
B：それは役立ちそうね。でも，電話をいくらかウェブサイトへ誘導することも必要だわ。
A：ウェブサイトのヘルプ欄が，少々わかりにくいという意見が多いんだ。IT部門のカナに再設計するようお願いできないかな。
B：いいわよ，何かアイデアを彼女に考えてもらうわ。
A：最後に，このことを他のスタッフにも伝えないといけないね。知らない人も結構いると思うんだ。
B：了解。このことをみんなに知らせるための会議を，サマンサに準備してもらうわね。

Review

ROLE-PLAYING 1：上司から部下への依頼の場面で，最初に声をかける際には I want you to ... と命令文よりもやわらかい表現を用いていますが，具体的な指示内容では命令文を多用しています。遂行内容とともに，遂行してほしいという話し手の意思を伝える表現になっていますね。

ROLE-PLAYING 2：指示内容に関して確認→詳細説明，確認→調整を繰り返しています。あまり自信がない様子の後輩に対しては You dou't have to be ～ という表現で，相手の心理的な負担感を軽減しています。

ROLE-PLAYING 3：目の前にいる相手ではなく，他部署の人間に動いてもらうことを表す表現が用いられています。それぞれの動詞のニュアンスもあわせて確認しておきましょう。

COLUMN

とある商品を購入した際，待てど暮らせど物が届かず困ったことがあります。先方に問い合わせたところ，「物は送ったから keeping positive thoughts for a good outcome（前向きに待っていて）」との回答がありました。苛立つ気持ちもありましたが，信頼できる相手であることは明らかだったので，途中「荷物を追跡して欲しい」「状況を知らせて欲しい」という指示を出す時にも，あまり感情的にならないようにし，また調査に動いてくれていた相手に連絡する際には，Sorry for taking up your time again.（度々ごめんなさい。）といった言葉をかけることも忘れないようにしていました。結局，諦めかけていた頃に物が届いたのですが，それはひどく破損した空箱でした。実はこの商品，まさかこんな事態になるとは思わず，保険無しで購入していたものだったので損失を被ることも覚悟していたのですが，最終的には相手のご厚意で保険対応していただくことができました。依頼したり，指示したりする際に「申し訳ない」「ありがたい」といった気持ちを同時に表すことは，自分にとっても結局はプラスになって返ってくることが多いのです。実務において依頼したり指示を出したりするときは，自分本位にならず相手に対する配慮を示すことも心がけていきたいですね。

3 意見を述べる

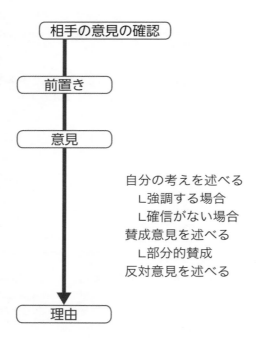

相手の意見の確認

前置き

意見

自分の考えを述べる
　L強調する場合
　L確信がない場合
賛成意見を述べる
　L部分的賛成
反対意見を述べる

理由

ビジネスの上では，自分の意見を明確に持ち，それを相手に伝えることはあらゆる場面で求められます。もちろんただ自分の意見を押し通すことがすべてではありません。相手の声を聞く姿勢を持ちながら，的確に自分の考えを伝えられるよう表現のバリエーションを学びましょう。

相手の意見の確認

有意義な意見交換のためには，自分の意見を主張するだけでなく相手の意向をうまく引き出すことも重要になります。具体的な表現は「4 確認する」（p.58 ～）で学習します。

前置き

相手に伝えづらいことを述べなければならない場合にクッションになるような表現（**Actually, ...**），また自分の考えをまとめるのに時間を要する場面で間をつなぐことができるような表現（**Well, let's see.**）がスムーズに口から出てくるようにしておきましょう。

意見

自分の考えを述べる
ビジネスにおいては，会議・電話・取引先との打ち合わせなど，あらゆる場面で自らの意見を明確に示すということが求められます。最も基本となる表現は **I think ...** ですが，自分の考えをより明確に伝えらえるよう，強調する表現や確信がない場合の表現など，様々な表現方法を身につけておくと便利です。

賛成意見を述べる
自分の意見を述べるということは，あるトピックについて賛成・反対の意見を明確に示すということも含まれます。「賛成である」ことを明確に示す基本表現としては，**I agree to ～**（～（提案・計画）に賛成である），**I agree with ～**（～（人）に賛成である）を押さえておくようにしましょう。

反対意見を述べる
ビジネスにおいては，反対意見を明確に述べることも大切ですが，**I'm sorry but ...** ／ **I'm afraid ...**（残念ながら…），**I see what you're saying, but ...**（おっしゃることはわかりますが…）など相手の立場などに配慮した表現を用いることも忘れないようにしたいものです。

理由

なぜその意見を持つに至ったのかという理由・根拠を明確に示すことで説得力が増し，議論の進展につなげることが可能になります。**I think ... because ～ .** といった基本表現の他，**for this reason**（こういうわけで），**this is why ...**（これが…の理由です）などの表現もあわせて覚えておきましょう。

前置き

□ 実のところ，新製品の発売を延期しなければならないと考えています。

Actually, I think we need to postpone the release of the new product.

□ そうですね，私に言わせれば，この計画はうまくいくとは思えません。

Well, if you ask me, I don't think this plan will work well.

□ ええっと。あなたのご提案で私は問題ないです。

Let me see... Your suggestion sounds good to me.

□ 状況にもよりますが，私は富田さんが行くのがよいと思います。

It depends on the situation, but I think Mr. Tomita should go.

□ そうですね。私はプロのウェブデザイナーを雇った方がよいのではないかと思っています。

Well, let's see. It seems to me that we should hire a professional web designer.

□ 実のところ，彼らの事業がうまくいっていないのは，マーケティングの失敗によるものだと私は思います。

To tell the truth, I think the reason their business hasn't been doing well is poor marketing.

フレームに沿って，使える表現をマスターしましょう。音声を活用して，日本語→英語がスムーズに出てくるようになるまで繰り返し声に出して練習しましょう。

意見

自分の考えを述べる

♪058 日→英 ♪059 QR ♪060 英

I think ... という基本表現の他，強弱をつけて自分の考えを伝えるための表現を学びます。
強い確信を持って何かを伝える際には，強調の副詞 really などを用いた表現がよく使われます。強い確信はないものの，何かしら意見を述べなければならない場合には，think よりも控えめな表現を用います。

□ ターゲット市場を変更した方がよいと思います。

I think it's better to change our target market.

□ リストにあることはすべてカバーできたと思います。

I think we've covered everything on the list.

＊会議の締めに用いる言葉

□ 今になって販売戦略を変えるのは，よくないと思います。

I don't think it's a good idea to change our marketing strategy now.

□ 来週集まる時に，再度この問題について話し合う必要があると思います。

I think we'll have to talk about this issue again when we meet next week.

□ アジア市場での販売拡大に重点的に取り組むべきだと思います。

I believe we should focus on expanding sales in Asian markets.

□ 私としては，新製品の開発により多く投資する必要があると思います。

In my opinion, we need to invest more in new product development.

□ 私としては，次回のイベントのために警備員を雇った方がよいと考えています。

In my view, we should hire security guards for our next event.

3

意見を述べる

45

強調する場合

□ この製品が，10代の若者の間で大ヒットするのは間違いないと思っています。

I really think this product will be a huge hit among teenagers.

□ 私は，彼女はその仕事に適任だと確信しています。

I'm sure that she's the right person for the job.

□ 予算の一部を販売促進活動に使った方がよいと確信しています。

I'm quite certain that we should use some of our budget for sales promotion.

□ 我が社のパッケージをもっと環境に配慮したものにすべきだと強く思います。

I definitely think we should make our packaging more eco-friendly.

□ 我々が市場で大きなシェアを獲得するのは間違いないと思います。

I think there's no doubt that we will win a large share of the market.

確信がない場合

□ あなたの言う通りかもしれませんね。

I guess you're right. ／
Maybe you're right.

□ 確信はないですが，この町に新店舗を開くのがよいことだとは思いません。

I'm not sure, but I don't think it's a good idea to open a new branch in this town.

□ 私の印象では，この商品は女性よりも男性に人気があるように思われます。

My impression is that this product is more popular among men than women.

□ 私からすれば，それはやってみる価値があるかもしれないと感じます。

As I see it, I feel that might be worth trying.

賛成意見を述べる

□ この点について，あなたの意見に
全面的に賛成です。

I totally agree with you on this point.

＊totally の代わりに completely, absolutely も
可

□ 私は新興市場に焦点を当てるべき
だという考えに賛成です。

**I agree with the idea that we should
focus on emerging markets.**

□ あなたの提案に賛成です。

I agree to your proposal.

□ その通りです。

Absolutely. ／ Definitely. ／ Exactly.

□ 全く同感です。

I couldn't agree with you more.

＊強い同意を示す

□ 私もそう思います。

**I think so, too. ／ I suppose so. ／
I feel the same.**

□ まさに同じ意見です。

**I have exactly the same opinion as
you. ／
I hold the same opinion. ／
I share your view.**

□ まさに私の思っていた通りです。

That's exactly how I feel.

□ 異論はありません。

I have no objection.

部分的賛成

相手の意見に全面的に賛成はできないものの，条件付きで賛成であるという場合には，程度を表す副詞句を置くことで表現できます。

☐ ある程度は賛成です。

I **agree** to some extent. ／
I **agree** to a certain extent. ／
I **agree with you** up to a point.

☐ 基本的には賛成です。

I **agree** in principle. ／
I **basically agree with you**.

Tips 「相づち」で会話のキャッチボールを

会話においては，相手の話に耳を傾け「関心をもって聞いていますよ」ということを示す「相づち」も重要な役割を果たします。ここでは，特に相手の考えに「同意」を示す場合の表現を確認しておきましょう。

That's a good point.（なるほど，いいご指摘ですね。）
　＊それほど畏まった場面でないときは，Good point. だけでも可。
You've got a point there.（おっしゃる通りです。）
That's a great suggestion.（よいご提案ですね。）
That makes a lot of sense.（なるほどそれはごもっともです。）

ちょっとした一言をはさむことで会話が弾み，話が発展してより深い議論ができるようになるといったメリットがありますので，相手の話の内容に応じて，臨機応変に相づちを打てるよう，いくつかの表現バリエーションを覚えておくとよいですね。

反対意見を述べる

明確に反対意見を述べる表現，相手の立場や気持ちに配慮した表現を確認しましょう。

□ そうは思いません。

I don't think so. ／ I don't agree. ／ I don't share your view.

□ 全く同意できません。

I totally disagree.

＊totally の代わりに completely も可

□ 私はそのように考えません。

That's not the way I see it.

□ 残念ながら賛成いたしかねます。

I'm afraid I disagree. ／ I'm sorry but I don't agree.

□ あなたのおっしゃる通りかもしれませんが，私は違う考えです。

Maybe you're right, but I think otherwise.

＊otherwiseの代わりに differently も可

□ おっしゃることはわかりますが，私は違った見解です。

I see what you're saying, but I take a different view.

□ それはどうでしょうか。

I'm not sure about that.

＊相手に反対意見を示すときの控え目な表現

3

意見を述べる

Tips ▶ わからないことにもスマートな対応を

ビジネスの場においては，求められた場合に意見を述べることも大事ですが，自らの職務の範囲を超えている場合には，それをうまく交わすスキルも必要になります。専門外・権限外のことについて意見を求められた場合には，「自分はその立場にはないので答えられない」「自分は専門外なので，これは参考程度の意見である」ということが咄嗟に口から出るようにしておきましょう。

I don't think I'm in a position to comment on this issue.
（本件については，私は意見を述べる立場にはないと思います。）

To be honest, **I don't know much about** cutting-edge devices.
（正直に申しますと，私は最先端機器には詳しくありません。）

To be frank, **I'm no expert on** this, but I think it'd be better to redesign our website.
（正直，これは私の専門外ですが，ウェブサイトのデザインを変えた方がよいと思います。）

理由

自分の意見に説得力を持たせるには，その意見の理由・根拠をはっきり相手に伝えることが重要です。内容自体に説得力があるということはもちろん重要ですが，接続詞などをうまく使うことでより確実に相手に意見を伝えることができます。

♪070 日→英 ♪071 QR ♪072 英

□ 当製品の需要が非常に高いので，生産能力を倍増させた方がよいと思います。

I think we should double the production capacity <u>because</u> demand for this product is very strong.

□ まもなく契約期限が切れるので，ウイルス対策ソフトのライセンスを更新する必要があります。

We need to renew the license of the anti-virus software <u>as</u> it expires soon.

□ まだ議論すべきことがあるので，金曜日にテレビ会議を行うことを提案します。

I suggest we have a video conference on Friday <u>since</u> there are still some items to be discussed.

□ 今のロゴは時代遅れに見えるので，デザイン会社に新しいロゴを作ってもらった方がよいと思います。

We should ask a design company to create a new logo for us <u>since</u> the current one looks outdated.

Tips ▶ 理由・因果関係を示すその他の表現

意見を述べた後に理由を述べる場合もあれば，前述した理由を受けて，そこから導き出される意見を述べることもあります。そうした場合に使えるのが，therefore（それゆえ），so（それで），that's why ...（そうしたわけで），and then ...（そして）など因果関係を示す表現です。会話の中にこういったフレーズを効果的に取り入れ，自らの考えの理由や根拠をはっきり相手に伝えるということを心がけていくようにしましょう。

Eriko ： What do you think about the sales forecast?
Henry ： As you know, demand for this product is rapidly increasing in overseas markets. **Therefore**, I believe achieving our sales goal for the next quarter will not be so difficult.
Eriko ： That's good to know.

エリコ ：販売予測についてはどう思いますか。
ヘンリー：ご存知のように，この商品の需要は海外市場で急速に伸びています。ですから，次の四半期の販売目標を達成することはそれほど難しいことではないと思っています。
エリコ ：それを聞いて安心しました。

ROLE-PLAYING 1

[**Scene** 雑誌の表紙について同僚同士で意見交換をしています。]

Task

❶ Aの発言を英語で考えましょう。「意見」に関する表現については, 左のフレームと前の部分で学習した表現を参考に表現してみましょう。単語・語句は下の **∴ Words & Phrases ∴** も参考にしてみてください。

❷ 音声を聞きながらAになりきって発話しましょう。音声ではBの発言のみが流れ, Aの発言部分はポーズになっています。

♪073
B only

[相手の意見の確認]

A　雑誌表紙についての最新の提案, あなたはどう思いますか。

B　If you ask me, it's not going to be very successful.

A　でもマーティンさんの提案はこれまでいつも成功してきましたよ。

B　It's true that he did come up with some really good ideas in the past.　But this isn't one of them.

[意見]
確信がない
場合
自分の考え
を述べる

A　好みによると思います。彼が使った猫の写真はとてもよかったし, 彼が書いた宣伝文も注目されると思います。

B　Well, I'm glad you like it.　In my view, his works have become a little outdated.　In fact, I think it's time to try something new.

[意見]
強調する場合

A　でも, みんな間違いなく動物の写真は好きですからね。だから絶対に成功すると思いますよ。

B　Anyway, the decision is up to the editor, so we'll see what she says.

∴ Words & Phrases ∴

A　□ 提案　proposal
　　□ ～による；～次第だ　depend on ～
　　□ 宣伝文　copy
　　□ 成功しそうな人〔物〕　winner

　　□ 好み　taste
　　□ 特にすぐれた；傑出した　outstanding
　　□ 注目を集める　grab one's attention

B　□ come up with ～　～を思いつく
　　□ up to ～　～次第だ

ROLE-PLAYING 1

解答例を確認しましょう。

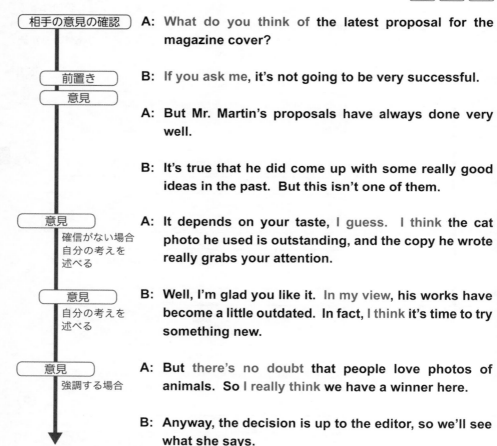

【相手の意見の確認】 A: What do you think of the latest proposal for the magazine cover?

【前置き】
【意見】 B: If you ask me, it's not going to be very successful.

A: But Mr. Martin's proposals have always done very well.

B: It's true that he did come up with some really good ideas in the past. But this isn't one of them.

【意見】
確信がない場合
自分の考えを
述べる
A: It depends on your taste, I guess. I think the cat photo he used is outstanding, and the copy he wrote really grabs your attention.

【意見】
自分の考えを
述べる
B: Well, I'm glad you like it. In my view, his works have become a little outdated. In fact, I think it's time to try something new.

【意見】
強調する場合
A: But there's no doubt that people love photos of animals. So I really think we have a winner here.

B: Anyway, the decision is up to the editor, so we'll see what she says.

訳　A：雑誌表紙についての最新の提案，あなたはどう思いますか。
　　B：私に言わせれば，あまり成功はしないでしょうね。
　　A：でもマーティンさんの提案はこれまでいつも成功してきましたよ。
　　B：たしかに，マーティンさんは過去にいくつか名案を思いついてきましたね。でも，これはその一つではありません。
　　A：好みによると思います。彼が使った猫の写真はとてもよかったし，彼が書いた宣伝文も注目されると思います。
　　B：あなたが気に入ったのなら何よりです。でも私の意見では，彼の作品は少し時代に合わなくなってきていると思います。実際，何か新しいことを試してみる時期だと思うのです。
　　A：でも，みんな間違いなく動物の写真は好きですからね。だから絶対に成功すると思いますよ。
　　B：とにかく，決断は編集長次第ですね。彼女の意見を待ちましょう。

ROLE-PLAYING 2

Task

❶ Aの発言を英語で考えましょう。「意見」に関する表現については，左のフレームと前の部分で学習した表現を参考に表現してみましょう。単語・語句は下の **Words & Phrases** も参考にしてみてください。

❷音声を聞きながら A になりきって発話しましょう。音声では B の発言のみが流れ，A の発言部分はポーズになっています。

♪076
B only

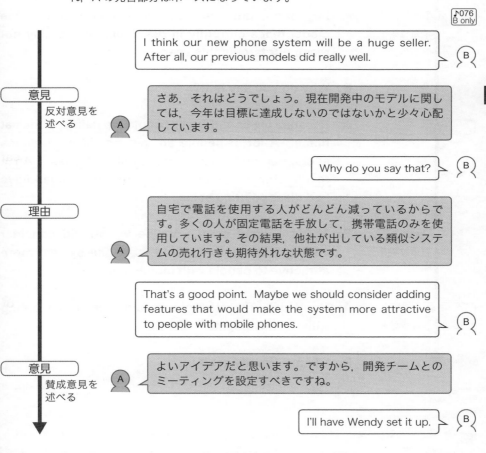

意見
反対意見を述べる

A

(B) I think our new phone system will be a huge seller. After all, our previous models did really well.

(A) さあ，それはどうでしょう。現在開発中のモデルに関しては，今年は目標に達成しないのではないかと少々心配しています。

(B) Why do you say that?

理由

(A) 自宅で電話を使用する人がどんどん減っているからです。多くの人が固定電話を手放して，携帯電話のみを使用しています。その結果，他社が出している類似システムの売れ行きも期待外れな状態です。

(B) That's a good point. Maybe we should consider adding features that would make the system more attractive to people with mobile phones.

意見
賛成意見を述べる

(A) よいアイデアだと思います。ですから，開発チームとのミーティングを設定すべきですね。

(B) I'll have Wendy set it up.

3 意見を述べる

Words & Phrases

A
- □ 現在，目下 currently
- □ 目標 target
- □ ～を取り除く〔処分する〕 get rid of ～

B
- □ huge seller 大ヒット商品
- □ set up ～ ～を計画〔企画〕する

- □ 開発中の in〔under〕development
- □ 固定電話 land-line phone；landline
- □ 期待外れの disappointing
- □ feature 特徴；機能

53

解答例を確認しましょう。

♪077 A and B ♪078 A only ♪076 B only

意見 自分の考えを述べる

B: I think **our new phone system will be a huge seller. After all, our previous models did really well.**

意見 反対意見を述べる

A: I'm not so sure. I'm a little concerned that, with the model that's currently in development, we may not reach our targets this year.

B: Why do you say that?

理由

A: Because fewer and fewer people are using phones at home. A lot of people are getting rid of landlines altogether and using only mobile phones. As a result, similar systems from other companies have had disappointing sales.

意見 賛成意見を述べる

B: That's a good point. Maybe we should consider adding features that would make the system more attractive to people with mobile phones.

意見 賛成意見を述べる

A: Good idea. Therefore, we should schedule a meeting with the development team.

B: I'll have Wendy set it up.

訳　B：我が社の新しい電話システムは大ヒット商品になると思います。結局，前のモデルもよく売れましたからね。
　　A：さあ，それはどうでしょう。現在開発中のモデルに関しては，今年は目標に達成しないのではないかと少々心配しています。
　　B：どうしてそんなことをおっしゃるのですか。
　　A：自宅で電話を使用する人がどんどん減っているからです。多くの人が固定電話を手放して，携帯電話のみを使用しています。その結果，他社が出している類似システムの売れ行きも期待外れな状態です。
　　B：よい点を指摘しますね。それなら我が社は，システムが携帯電話を使う人にとってもっと魅力的になるような特徴を加える方向で考えるべきですね。
　　A：よいアイデアだと思います。ですから，開発チームとのミーティングを設定すべきですね。
　　B：ウェンディーに計画を立ててもらうことにします。

Task

❶ Aの発言を英語で考えましょう。「意見」に関する表現については，左のフレームと前の部分で学習した表現を参考に表現してみましょう。単語・語句は下の **⁚ Words & Phrases ⁚** も参考にしてみてください。

❷ 音声を聞きながらAになりきって発話しましょう。音声ではBの発言のみが流れ，Aの発言部分はポーズになっています。

♪079
B only

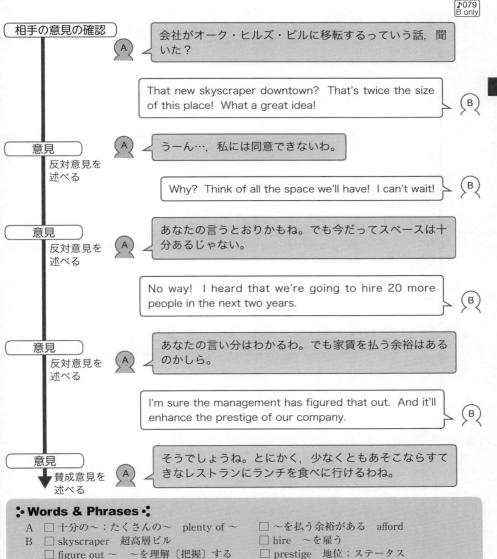

相手の意見の確認	
A	会社がオーク・ヒルズ・ビルに移転するっていう話，聞いた？

B: That new skyscraper downtown? That's twice the size of this place! What a great idea!

意見 反対意見を述べる	
A	うーん…，私には同意できないわ。

B: Why? Think of all the space we'll have! I can't wait!

意見 反対意見を述べる	
A	あなたの言うとおりかもね。でも今だってスペースは十分あるじゃない。

B: No way! I heard that we're going to hire 20 more people in the next two years.

意見 反対意見を述べる	
A	あなたの言い分はわかるわ。でも家賃を払う余裕はあるのかしら。

B: I'm sure the management has figured that out. And it'll enhance the prestige of our company.

意見 賛成意見を述べる	
A	そうでしょうね。とにかく，少なくともあそこならすてきなレストランにランチを食べに行けるわね。

3
意見を述べる

⁚ Words & Phrases ⁚

A □ 十分の〜：たくさんの〜 plenty of 〜   □ 〜を払う余裕がある afford
B □ skyscraper 超高層ビル   □ hire 〜を雇う
   □ figure out 〜 〜を理解〔把握〕する   □ prestige 地位；ステータス

55

ROLE-PLAYING 3

解答例を確認しましょう。

♪080 A and B   ♪081 A only   ♪079 B only

相手の意見の確認 A: Did you hear that our company will be moving to an office in the Oak Hills Building?

意見
自分の考えを述べる

B: That new skyscraper downtown? That's twice the size of this place! What a great idea!

意見
反対意見を述べる

A: Hmm... I disagree.

B: Why? Think of all the space we'll have! I can't wait!

意見
反対意見を述べる

A: Maybe you're right. But don't we have plenty of space now?

意見
反対意見を述べる

B: No way! I heard that we're going to hire 20 more people in the next two years.

意見
反対意見を述べる

A: I see what you're saying, but can we afford the rent?

意見
強調する場合

B: I'm sure the management has figured that out. And it'll enhance the prestige of our company.

意見
賛成意見を述べる

A: I suppose so. Anyway, at least there will be some great restaurants we can go to for lunch.

訳　A：会社がオーク・ヒルズ・ビルに移転するっていう話，聞いた？
B：ビジネス街にあるあの超高層ビル？　あそこはここの2倍の大きさだよ！　なんていい案なんだ！
A：うーん…，私には同意できないわ。
B：なぜ？　移転した先の広さを考えてみてよ！　僕には待ちきれないね！
A：あなたの言うとおりかもね。でも今だってスペースは十分あるじゃない。
B：とんでもない！　2年以内にあと20人は雇うっていう話だよ。
A：あなたの言い分はわかるわ。でも家賃を払う余裕はあるのかしら。
B：それは経営陣が把握しているだろう。それに（あそこへ移転したら）会社のステータスも大いにアップするだろうしね。
A：そうでしょうね。とにかく，少なくともあそこならすてきなレストランにランチを食べに行けるわね。

Review

ROLE-PLAYING 1：相手とは意見が異なっている状況でも一方的に自分の意見を主張するのではなく，相手の意見に耳を傾けながら，確信がない場合の I guess や強調の really などを使って強弱をつけながら自分の考えを伝えています。

ROLE-PLAYING 2：自分の意見に説得力を持たせるには，その意見の理由・根拠をはっきり相手に伝えることが重要です。接続詞や as a result, therefore などの表現をうまく使うことでより確実に相手に自分の意見を伝えることができています。また，That's a good point. や Good idea. などの相づち表現も会話の流れをスムーズにしています。

ROLE-PLAYING 3：相手の意見に反対であることをはっきりと伝えながらも，Maybe you're right.（あなたの言う通りかもしれません。），I see what you're saying, but …（あなたの言うこともわかりますが）など相手に配慮する一言を添え，少し和らげながら自分の考えを述べることができています。

COLUMN

ある日本人が，仲の良いアメリカ人と意見が合わず口論になってしまったそうです。時には声を荒げながらの大激論となり，その日はそのまま別れました。そんなことは初めてだったので，その日本人は「きっと相手は気を悪くしているだろう」，「もしかすると今までのように仲良くできないかもしれない」などと心配で，夜も眠れなかったそうです。ところがその翌日，そのアメリカ人が何事もなかったかのようにいつも通り笑顔で話しかけてきたそうです。驚きながらも「昨日は悪かった。ついかっとなってしまって。」と謝ると，「どうして謝るの？とても有意義な議論だったよ。」という答えが返ってきたそうです。

もしかするとこれは「人」と「意見」の捉え方の違いかもしれません。アメリカ人は子どもの頃からディベートの練習を数多くこなしてきています。時には自分の本当の意見とは異なる立場で相手を納得させる意見を述べる練習をすることもあります。その過程で「人」と「意見」は別物であるという認識が身についているのかもしれません。つまり「あの人の意見には全く賛成できないけれど，あの人のことは大好き」ということもあり得るのでしょう。

「あの人とは意見が合わないから，好きになれない」という風に考えるのではなく，前述のアメリカ人のように，「人」と「意見」をはっきり分けて考えることができたら，変に気を使うことなく，誰に対しても堂々と自分の意見を伝えることができますね。

4 | 確認する

相手の発言

↓

自分の理解の確認

　　自分の認識に齟齬がないか確認する
　　相手の言ったことを聞き返して確認する
　　内容をまとめて確認する

自分の発言

↓

相手の理解・意見の確認

　　相手の理解を確認する
　　相手の意見を確認する

５Ｗの確認

相手に質問したり確認したりするのは日常生活においてもよくある状況ですが，ビジネスの場面においては，小さなことでも確認をとりながら進行することがとても大切です。お互いの認識に齟齬がないかの確認，相手がどのような意見を持っているかの確認など，状況に応じた質問・確認の表現を学習しましょう。

自分の理解の確認

自分の認識に齟齬がないか確認する
相手の言ったことを確認する際に便利な表現は**付加疑問**です。指示を聞き返す時など，ビジネスでも活用範囲の広い表現なので，是非マスターしておきましょう。

相手の言ったことを聞き返して確認する
相手の発言が聞き取れなかったのでもう一度言い直してほしい時，聞き取れたけれど理解できなかった時などには，あやふやなままにせず相手の言ったことを聞き返して確認できるようにしておきましょう。

内容をまとめて確認する
話の流れをまとめたり，相手の発言を要約したり言い換えたりして聞き返すというのは，難易度は高いですが，相手に確認を取る際には有効な表現方法の一つです。
So, that's ...（それでは…ということで）／ So, you mean that ...（つまり…ということですね）

相手の理解・意見の確認

建設的な議論を行うためには，ただ自分の意見を主張するだけでなく，相手の理解度を確認したり，相手がどう考えているかをうまく聞き出すということも不可欠になります。会議の進行役をつとめる場合に限らず，ビジネス相手と一対一で会話するような場合にも，こういった会話力は必要になりますので，相手の理解・意見を確認する際の表現をいくつか習得しておくと便利です。
What do you think about ～？／ What's your opinion on ～？（～についてはどう思いますか。）

5Wの確認

ビジネスでコミュニケーションする際の基本となるのが，**5W ＜ When**（いつ），**Where**（どこで），**Who**（誰が），**What**（何を），**Why**（なぜ）＞の確認です。**5W** を確認することで，込み入った内容であっても，確実に内容・状況を把握することが可能になります。確認を行う際には，常に **5W** を意識し，コミュニケーション不足から生じるトラブルを回避できるようにしていきましょう。

話の流れで自然に確認・質問することもありますが，確認から会話が始まる際には，いきなり質問を投げかけるのではなく，相手に心の準備をしてもらえるような 前置き をすることを心がけていきましょう。また，相手に確認・質問する場合は，状況からその意図が明らかな場合を除き， 理由 を添えること，返答に対しては 感謝 を伝えることも忘れないようにしたいものです。

自分の理解の確認

自分の認識に齟齬がないか確認する

♪082 日→英 ♪083 QR ♪084 英

仕事で指示を出された時や約束を取り付けた時などには，相手との間で認識の齟齬がないように確認をとることを意識できるとよいですね。「〜は…でしたか？」と予定や認識を確認する際には，付加疑問を用いるのが有効です。自分の認識が正しいかを確認する際には語尾を上げて，相手の同意を求める際には語尾を下げて発音します。

□ 工場の訪問は午前中ですよね。

The factory visit is in the morning, isn't it?

□ ロビンは今日出社しませんよね。

Robin is not in the office today, is he?

□ 今朝私に電話はなかったですよね。

I didn't get any phone calls this morning, did I?

□ この機械の使い方は知っていますよね。

You know how to use this machine, don't you?

□ 彼はあの会社とコネがありますよね。

He has connections with that company, doesn't he?

□ あなたはスペイン語を話せますよね。

You can speak Spanish, can't you?

□ 駅に9時に集合ですね。

We meet at the station at 9 o'clock, don't we?

□ あなたはスターホテルに滞在予定ですよね。

You're staying at the Star Hotel, aren't you?

相手の言ったことを聞き返して確認する

♪085 日→英　♪086 QR　♪087 英

□ もう一度おっしゃっていただけますか。

Could you say that again?

□ すみませんが，聞き取れませんでした。もう一度おっしゃっていただけますか。

Sorry, I didn't catch that. Would you mind repeating it?

□ もう少しゆっくり話していただけますか。

Would you mind speaking more slowly?

□ もう少し具体的に言っていただけますか。

Could you be more specific, please?

□ すみませんが，よく聞き取れませんでした。もう少し大きな声でおっしゃっていただけますか。

Sorry, I didn't quite hear what you said. Could you speak up, please?

□ すみませんが，おっしゃりたいことがわかりませんでした。別の言い方でお願いできますか。

Sorry, I didn't get your point. Could you say that in a different way?

□ すみません。その言葉がわからないのですが。どういう意味ですか。

Sorry, I don't know that word. What does it mean?

4

確認する

Tips 聞き返す時は婉曲的な表現を

相手との関係性によっては，ダイレクトすぎる表現は失礼にあたる可能性があるので，特にビジネスの場面においては注意が必要です。例えば，相手の話すのが速かったり，声が小さかったりして聞き取れなかったときに，You said that too fast. / You were too quiet. などと言ってしまうとどうでしょう。批判されているように感じてしまい，いい気がしないかもしれません。このような場合は，正直に理由を述べる必要はありませんので，Could you speak more slowly? / Could you speak up, please? などと聞き返すとスマートな印象になります。「あの人は失礼だ！」などと思われないよう，言葉選びにも注意したいものです。

内容をまとめて確認する

□ では火曜の午後2時にスワンソンさんの事務所ということで。

So, that's 2:00 p.m. on Tuesday at Mr. Swanson's office, then.

□ つまり総経費はもっと高くなる可能性があるのですね。それで正しいですか。

So you mean the cost could be more expensive overall. Is that right?

□ つまりシアトル支社は年内に閉鎖した方がよいということですか。

So what you are saying is that we should close the Seattle branch within the year?

□ 私の理解が正しければ，あなたはこれ以上この問題を議論しても無駄だとおっしゃるのですね。

If I've understood correctly, you're saying that it's no use discussing this matter further.

□ つまり，生産の一部を中国からベトナムに移した方がよいとおっしゃるのですね。

In other words, you are saying that we should shift some of our production from China to Vietnam, right?

□ 売り上げ増加のためには営業時間を変更した方がいいとおっしゃっているのだと思いますが。私の理解で正しいでしょうか。

I think you are saying that if we want to increase sales we should change our business hours. Is my understanding correct?

Tips　会議で参加者の意見を確認するには？（1）

複数人での打ち合わせや会議の場でも，誰かの発言が曖昧だったり，全員が理解できていないと感じたりした場合は，So you mean that ...?（つまり…ということですか。）などと言い換えながら確認することが大切です。また，自分でまとめにくい場合は，Could you say that again?, Could you please go over that again? のような表現で，もう一度説明を求めるとよいでしょう。不明瞭な点があればその場で確認することで，議論を有意義なものにすることができます。

相手の理解を確認する

♪091 日→英 ♪092 QR ♪093 英

□ この件に関してご質問はあります か。

Do you have any questions about this issue?

□ ここまでのところで何か疑問点は ありますか。

Are there any questions so far?

□ 何か質問はありますか。

Any questions?

＊くだけた表現

□ ご質問の答えになっているでしょ うか。

Did it answer your question?

□ 必要な情報は得られましたか。

Did you get the information you needed?

□ 説明は十分わかりやすかったでし ょうか。

Was my explanation clear enough?

□ おわかりいただけましたか。

Does it make sense?

□ よろしいですか。

Is that clear?

相手の意見を確認する

□ 環境に優しい車の利用を推奨する ことについてどう思いますか。

What do you think about promoting the use of environmentally-friendly vehicles?

4
確認する

☐ ユーチューブ広告についてどう思いますか。	**What do you think of YouTube advertising?**
☐ シンガポールで行った販促キャンペーンについてどう思いましたか。	**What's your opinion on the sales campaign we held in Singapore?**
☐ 新プロジェクトについての意見を聞かせてもらえますか。	**Can you give us your opinion on the new project?**
☐ お考えをお聞かせいただけますか。	**Could you share your thoughts with us?**
☐ もう少し詳しく説明していただけますか。	**Could you give me a few more details?**
☐ 週末勤務についてどう思いますか。	**How do you feel about working on weekends?**

Tips　会議で参加者の意見を確認するには？（2）

会議では，一方的に報告するだけでなく，参加者からの意見を募り議論を深めていくことが重要です。特に会議を主導する立場にある場合には，自分の意見を明確に伝えると同時に，参加者に声かけしながら意見を引き出すということも心がけていくようにしましょう。

Greg, do you have anything to add?
（グレッグ，何か付け加えたいことはありますか。）
Do you have any suggestions?（何か提案はありますか。）
What do you think about this proposal, **Donna**?
（ドナ，この提案についてどう思いますか。）
Is there anything else anyone would like to add?
（誰か他に付け加えておきたいことはありますか。）
Do you have any more comments, **Steve**?
（スティーヴ，何か他に意見はありますか。）
Is there anything we should discuss?
（何か話し合った方がよいことはありますか。）

♪094
日→英
♪095
QR
♪096
英

疑問文

仕事やプロジェクトを円滑に進める上では，段階ごとに確認を取りながら進行することが大切です。いざ会議や打ち合わせ当日になって「こんなはずではなかった」ということにならないよう，場所・時間・目的・参加者などの確認を怠らないようにしましょう。

□ いつがご都合がよろしいでしょうか。

When would be convenient for you?

□ どこでお待ちしていましょうか。

Where shall I wait for you?

□ 誰がこのプロジェクトを担当しているのですか。

Who is in charge of this project?

□ キックオフミーティングの前に何をすべきでしょうか。

What do I need to do before the kick-off meeting?

□ なぜまた製品コンセプトを見直す必要があるのですか。

Why do we have to review the product concept again?

間接疑問

5 W を確認する際には間接疑問を用いるのも有効な方法です。間接疑問は疑問文が他の文に組み込まれた形で「誰が…したのか知っていますか」「どこで～があるのか確認してください」など，多くの内容を一つの文で伝えられる便利な表現です。

□ 次の会議がいつか知っていますか。

Do you know when the next meeting is?

□ 終電は何時なのかを知りたいのですが。

I'd like to know when the last train leaves.

4
確認する

☐ オフィスがどこにあるのか教えて
いただけますか。

Could you tell me where your office is?

☐ 一番近い銀行はどこにあるのか
ご存じですか。

Do you know where the nearest bank is?

☐ あちらにいる男性が誰なのかご存
じですか。

Do you know who the man over there is?

☐ 次に何をすべきか教えていただけ
ますか。

Could you tell me what I should do next?

☐ なぜこの問題が頻発しているのか
ご存じですか。

Do you know why this trouble is happening frequently?

☐ 彼がなぜ突然退職したのかご存じ
ですか。

Do you know why he suddenly retired?

☐ どこでそのチケットが入手できる
のか彼女に確認してみます。

I'll ask her where we can get a ticket for that.

Tips　間接疑問の形とニュアンス

間接疑問は「文の中に疑問文が埋め込まれた形」ですが，埋め込まれた文は疑問文ではない普通の文の語順（主語＋動詞）になることに注意が必要です。
例：Could you tell me ...? ＋ Where is your office? という 2 文をつなげて間接疑問文にする。
　単純に 2 つの文章をつなげる。（誤）Could you tell me where is your office?
　後半を「疑問詞＋主語＋動詞」の順にする。（正）Could you tell me where your office is?

「オフィスがどこか」を尋ねる場合，単に Where is your office? というよりも，Could you tell me where your office is? とする方が直接的でなくなる分，丁寧な印象になります。丁寧さを伝えるには，依頼の章で学んだ Could you ...? の表現も一役買っていますね。
間接疑問はその場にいない第三者に「～を確認してみます」「～について聞いてみてください」といった確認（または確認の依頼）をする際に使えます。さらに，「～に…を尋ねた」(I asked Josh if he had it. など) のような言い回しは報告の際にも役立ちます。さまざまな状況で使われる表現なので，形と意味をしっかり頭に入れておきましょう。

ROLE-PLAYING 1

Task
❶ Aの発言を英語で考えましょう。「確認」に関する表現については，左のフレームと前の部分で学習した表現を参考に表現してみましょう。単語・語句は下の ❖ **Words & Phrases** ❖ も参考にしてみてください。
❷ 音声を聞きながらAになりきって発話しましょう。音声ではBの発言のみが流れ，Aの発言部分はポーズになっています。

♪097
B only

| 前置き | A | ねえ，チャールズ。今朝私に電話はなかったわよね？ |

自分の理解の確認
自分の認識に齟齬がないか確認する

> Just one. Mr. Swanson wants you to reschedule your presentation to Tuesday. — B

自分の理解の確認 A もう一度言ってもらえる？
相手の言ったことを聞き返して確認する

> Mr. Swanson said that something came up on Monday and he'd like you to do the presentation on Tuesday. — B

自分の理解の確認
自分の認識に齟齬がないか確認する

A あら…，その日はシロップ工場に行く予定だったの。私の予定を調べてもらえる？ 工場の訪問は午前中よね？

> It's at 11:00 a.m. I think he's available in the afternoon. — B

 A よかった。じゃあ，午後２時に行くと彼に伝えてくれるかしら。

> So that's 2:00 p.m. on Tuesday at Mr. Swanson's office, then. Got it. — B

4
確認する

❖ **Words & Phrases** ❖
A ☐ …することになっている be supposed to do   ☐ ～を調べる〔確認する〕 check
B ☐ reschedule ～の予定を変更する   ☐ available 時間がある，会うことができる
　 ☐ Got it. わかりました。

ROLE-PLAYING 1

解答例を確認しましょう。

♪098 A and B　♪099 A only　♪097 B only

前置き

自分の理解の確認
> 自分の認識に齟齬がないか確認する

A: Hi, Charles.　I didn't get any phone calls this morning, did I?

B: Just one.　Mr. Swanson wants you to reschedule your presentation to Tuesday.

自分の理解の確認
> 相手の言ったことを聞き返して確認する

A: Could you say that again?

B: Mr. Swanson said that something came up on Monday and he'd like you to do the presentation on Tuesday.

自分の理解の確認
> 自分の認識に齟齬がないか確認する

A: Oh...　I was supposed to visit the syrup factory that day.　Could you check my schedule?　The factory visit is in the morning, isn't it?

B: It's at 11:00 a.m.　I think he's available in the afternoon.

A: Good.　Tell him I'll be in at 2:00 p.m. then.

自分の理解の確認
> 内容をまとめて確認する

B: So that's 2:00 p.m. on Tuesday at Mr. Swanson's office, then.　Got it.

訳
A：ねえ，チャールズ。今朝私に電話はなかったわよね？
B：1件だけありました。スワンソンさんがプレゼンテーションを火曜日に変更してもらいたいとのことです。
A：もう一度言ってもらえる？
B：スワンソンさんが月曜日に用事ができたそうで，プレゼンテーションを火曜日にしてもらいたいそうです。
A：あら…，その日はシロップ工場に行く予定だったの。私の予定を調べてもらえる？　工場の訪問は午前中よね？
B：午前11時です。スワンソンさんは，午後は空いていると思います。
A：よかった。じゃあ，午後2時に行くと彼に伝えてくれるかしら。
B：では，火曜日の午後2時にスワンソンさんの事務所ということですね。わかりました。

ROLE-PLAYING 2

Scene 会議に同席した提携先に意見を求めています。

Task
❶ Aの発言を英語で考えましょう。「確認」に関する表現については，左のフレームと前の部分で学習した表現を参考に表現してみましょう。単語・語句は下の **∴ Words & Phrases ∵** も参考にしてみてください。
❷ 音声を聞きながらAになりきって発話しましょう。音声ではBの発言のみが流れ，Aの発言部分はポーズになっています。

♪100
B only

前置き

相手の理解・意見の確認 A
坂本さん，レポートに目を通していただいたと思いますが，どう思われますか。

相手の意見を確認する

Well, for starters, our sales for the past quarter have been outstanding. I didn't know our products were such a big hit in the Southeast Asian market. B

 4 確認する

自分の理解の確認

自分の認識に齟齬がないか確認する
間違いなくよいニュースですよね。東ヨーロッパでの売上の減少はいかがですか。どのようなご意見をお持ちでしょうか。

相手の理解・意見の確認 A

相手の意見を確認する

It's a little disappointing, but it was caused by the temporary economic slowdown in that region. I think it will pick up eventually. B

相手の理解・意見の確認 A
よかったです。最後になりますが，取り扱う製品の幅を広げる計画について，ご意見をお聞かせいただけますか。

相手の意見を確認する

To be frank, I don't think it's a good idea. We should focus on the areas in which we're already strong. B

感謝 A
坂本さん，どうもありがとうございます。

My pleasure. B

∴ Words & Phrases ∵
A □ 減少 decline　　□ 幅；範囲 range　　□ 拡大する expand
B □ for starters まず（第一に）；手始めに　　□ disappointing がっかりさせる
□ pick up 調子が上向く　　□ eventually いずれは；最終的には

69

解答例を確認しましょう。

♪101 A and B ♪102 A only ♪100 B only

前置き
相手の理解・意見
の確認

A: I know you've had a look at the report, Ms. Sakamoto. What do you think?

相手の意見を
確認する

B: Well, for starters, our sales for the past quarter have been outstanding. I didn't know our products were such a big hit in the Southeast Asian market.

自分の理解の確認

自分の認識に齟齬
がないか確認する

相手の理解・意見
の確認

A: It is certainly good news, isn't it? How about the decline in sales in Eastern Europe? What's your opinion on that?

相手の意見を
確認する

B: It's a little disappointing, but it was caused by the temporary economic slowdown in that region. I think it will pick up eventually.

相手の理解・意見
の確認

A: That's good to know. Finally, can we hear your opinion on the plan to expand our product range?

相手の意見を
確認する

B: To be frank, I don't think it's a good idea. We should focus on the areas in which we're already strong.

感謝

A: Thank you, Ms. Sakamoto.

B: My pleasure.

訳 A：坂本さん，レポートに目を通していただいたと思いますが，どう思われますか。
B：そうですね，まず，会社の今四半期の売上は素晴らしいですね。我々の製品が東南アジアの市場でこんなに大きなヒットになっていたとは知りませんでした。
A：間違いなくよいニュースですよね。東ヨーロッパでの売上の減少についてはいかがですか。どのようなご意見をお持ちでしょうか。
B：少々残念に思いますが，その地域の一時的な景気の減速によるものです。いずれは持ち直すと思いますよ。
A：よかったです。最後になりますが，取り扱う製品の幅を広げる計画について，ご意見をお聞かせいただけますか。
B：正直に申しますと，よいアイデアだとは思いません。すでに好調な分野に力を注ぐべきです。
A：坂本さん，どうもありがとうございます。
B：どういたしまして。

Scene 同僚に色見本の入ったファイルの所在を確認しています。

Task

❶ Aの発言を英語で考えましょう。「確認」に関する表現については，左のフレームと前の部分で学習した表現を参考に表現してみましょう。単語・語句は下の **⁚• Words & Phrases •⁚** も参考にしてみてください。

❷音声を聞きながらAになりきって発話しましょう。音声ではBの発言のみが流れ，Aの発言部分はポーズになっています。

♪103
B only

4
確認する

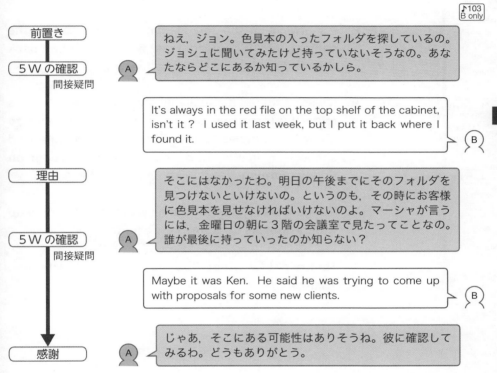

前置き

5Wの確認
間接疑問

ねえ，ジョン。色見本の入ったフォルダを探しているの。ジョシュに聞いてみたけど持っていないそうなの。あなたならどこにあるか知っているかしら。

It's always in the red file on the top shelf of the cabinet, isn't it ? I used it last week, but I put it back where I found it.

理由

5Wの確認
間接疑問

そこにはなかったわ。明日の午後までにそのフォルダを見つけないといけないの。というのも，その時にお客様に色見本を見せなければいけないのよ。マーシャが言うには，金曜日の朝に3階の会議室で見たってことなの。誰が最後に持っていったのか知らない？

Maybe it was Ken. He said he was trying to come up with proposals for some new clients.

感謝

じゃあ，そこにある可能性はありそうね。彼に確認してみるわ。どうもありがとう。

⁚• Words & Phrases •⁚

A　□ ～を含む；～を入れている　contain　　□ フォルダ，書類ばさみ　folder
　　□ お客様；顧客　client
B　□ come up with ～　～を考え出す　　□ proposal　提案

解答例を確認しましょう。

♪104 A and B　♪105 A only　♪103 B only

前置き

5 W の確認
　間接疑問

自分の理解の確認
　自分の認識に
　齟齬がないか
　確認する

理由

5 W の確認
　間接疑問

感謝

A: Hey, John?　I'm looking for the folder containing the color samples.　I asked Josh if he had it, but he said he didn't.　Do you know where it is?

B: It's always in the red file on the top shelf of the cabinet, isn't it?　I used it last week, but I put it back where I found it.

A: It wasn't there.　It's really important that we find this folder by tomorrow afternoon, because we need to show the samples to the clients then.　Marsha said she saw it in the third floor conference room on Friday morning.　Do you know who had it last?

B: Maybe it was Ken.　He said he was trying to come up with proposals for some new clients.

A: That might be where it is then.　I'll check with him. Thanks!

訳　A：ねえ，ジョン。色見本の入ったフォルダを探しているの。ジョシュに聞いてみたけど持っていないそうなの。あなたならどこにあるか知っているかしら。
　　B：いつも，キャビネットの一番上の段に入れている赤いファイルの中にあるよね？先週使ったけど元の場所に戻したよ。
　　A：そこにはなかったわ。明日の午後までにそのフォルダを見つけないといけないの。というのも，その時にお客様に色見本を見せなければいけないのよ。マーシャが言うには，金曜日の朝に3階の会議室で見たってことなの。誰が最後に持っていたのか知らない？
　　B：もしかしたら，ケンかもしれないよ。新規のお客様への提案内容を考えていると言っていたから。
　　A：じゃあ，そにこある可能性はありそうね。彼に確認してみるわ。どうもありがとう。

Review

ROLE-PLAYING 1：仕事をスムーズに進めるため，細かな点も確認をとりながら進行しています。自分の認識が合っているかどうか確認するのには付加疑問を活用していますね。「もう一度言ってください」「私の予定を調べてください」という際には，could you …？ という丁寧な依頼表現を使っています。最後の B の発言では，アポイントの場所や時間を繰り返すことで，認識にずれがないかを確かめています。

ROLE-PLAYING 2：What do you think? という基本的な表現から，can we hear your opinion …？ という依頼表現まで，聞き方にバリエーションを持たせています。相手の意見に対して It is certainly good news, isn't it ？ や That's good to know. など反応を示したうえで次の質問に移るという会話のキャッチボールの仕方にも注目しましょう。

ROLE-PLAYING 3：フォルダの所在を突き止めるために，間接疑問を用いて「どこに〜があるのか知っていますか」「誰が…したのか知っていますか」と確認しています。「ジョシュに〜について聞いてみた」というようにその場にいない第三者に確認する場合にも間接疑問を使っています。

COLUMN

仕事での失敗というのは誰しも大なり小なりあるのではないかと思いますが，私も新人時代に痛いミスをしてしまったことがあります。今となれば，なぜあれほど肝心なことを確認しなかったのだろうと思うのですが，その当時は自分の判断にまったく疑いを持たずに「確認する」というプロセスを省いてしまっていたのです。仮にその時，So what you're saying is …. Is that right?（つまり，おっしゃっていることは…ですね。それで合っていますか？）と相手に確認さえしていれば何も問題なかったようなことなのですが，ちょっとした確認を怠ったがためにその後が大変だったのは言うまでもありません。それからというもの，仕事において，Does that mean …?（…ということですよね？）と聞き返したり，自分の認識が正しいかどうかを，Is that what you meant?（そういうことですか？）と念押ししたりして確認することは欠かさないようにしています。また特に重要な件に関しては，互いに共有できる文書でも記録を残して，何かあった時に経緯を振り返ることができるよう心がけています。「確認する」という作業はプロジェクトなどにおいても，成功につながる大事なステップとなります。「きっと大丈夫」「これで間違いないはず」と思っても，「確認する」そのひと手間を惜しまないようにしていきたいですね。

5 | 説明する

```
┌─────────────┐      ┌─────────┐
│ 基本情報の提示 │ ───→ │ 詳細説明 │
└─────────────┘      └─────────┘
       │         物（product）の説明　～複数の観点から説明する～
       │         手順・工程（process）の説明　～順序だてて説明する～
       │         動向（trend）の説明　～数字の変化を示して説明する～
       ↓
┌─────────────┐
│ 自分の見解の提示 │
└─────────────┘
       │
       ↓
┌───────────────┐
│ 相手の理解の確認 │
└───────────────┘
```

相手がよく知らない事柄について説明する際には，説明する内容や，相手の理解度に応じて，説明の仕方を調整して伝えるようにしたいものです。まずは基本的な情報・大枠を示した上で，物・商品の特徴や，手順・工程，数字の変化などの詳細な情報を効果的に説明する表現を学んでいきましょう。

何かを説明をする際には，最初に基本的な情報や大枠の構成要素を伝えましょう。聞き手は全体像を把握することで，情報を整理して理解することができます。プレゼンなどの場合も同様で，これから説明することを提示しておくことが重要です。続けて，基本情報を補足する詳細な説明を加えます。

(基本情報の提示)━━▶(詳細情報)

物（product）説明　〜複数の観点から説明する〜

商品などを説明する際には，品質・素材・デザイン・仕様・アフターサービスなど，複数の観点から顧客にとってのメリットを具体的に述べましょう。

手順・工程（process）の説明　〜順序だてて説明する〜

手順や工程などを説明する際は，相手にわかりやすいよう順序立てて伝えることが重要です。順序を表す副詞や，前後関係を表す接続詞・前置詞などの表現が説明の際にすぐ出てくるように頭に入れておきましょう。

動向（trend）の説明　〜数字の変化を示して説明する〜

売上や市場の変化を説明する際は，rise, grow, fall, decline といった「上昇」「下降」を表す動詞を用います。significantly（著しく），gradually（徐々に）といった変化の程度や様子を表す副詞や，from 〜 to ...（〜から…へ），by 〜（〜の差で）などの前置詞を使うと，実態をより明確に伝えることができます。

(自分の見解の提示)

客観的に説明するだけでは，マニュアル的で味気ない印象を与えるかもしれません。「私は…だと思います」「私たちは…がよいと考えています」などと自分の見解を伝えると，相手の記憶に残りやすくなります。

(相手の理解の確認)

一方的に説明しているだけでは，実は相手にはうまく伝わっていなかった，ということもあり得ます。ボールを投げっぱなしにするのではなく，「おわかりいただけたらよいのですが」「質問があれば，おっしゃってください」といった言葉をかけて，相手の理解を確認することを心がけましょう。

物（product）の説明　〜複数の観点から説明する〜

基本情報の提示

商品の機能や用途を表す際は，商品自体を主語にして be used to …, be used for 〜（…するために〔〜のために〕使う）のように表す他，いわゆる無生物主語構文を用いるのも有効です。make 〜 possible, enable といった「可能にする」という意味を表す表現を使えば，商品の機能を表すことができます。また，「〜を許可する」の意味の allow は S allows you to *do* の形を使って，「S はあなたに…することを許す→〜を使って…することができる」の意味として使うことができます。

♪106 日→英　♪107 QR　♪108 英

□ このアプリはペットを監視するのに使います。

This app is used to monitor your pets.

□ この机は2人が同時に座って作業できるように作られています。

This desk is made to allow two people to sit and work at the same time.

□ これらの商品は季節外れの衣服を保管するのに便利です。

These items are useful for storing out-of-season clothes.

□ この製品でどんな種類の容器でもきれいにすることができます。

This product makes it possible to clean all kinds of containers.

□ このソフトウェアで簡単にデータベースを作ることができます。

This software enables you to build a database easily.

□ この機器を使うと画像をスキャンしてパソコンに取り入れることができます。

This gadget allows you to scan images onto your PC.

□ この製品が既存の製品に比べてどこがいいのかを説明させていただきます。

I would like to explain how this product is better than existing products.

フレームに沿って，使える表現をマスターしましょう。音声を活用して，日本語→英語がスムーズに出てくるようになるまで繰り返し声に出して練習しましょう。

詳細説明

詳細説明のためには，商品の特徴やよさを様々な角度から伝える形容詞を覚えておくとよいですね。品質の高さをアピールするもの（reliable, top-quality），値段の安さ（economical, inexpensive），外見・印象（colorful, attractive），使用感（simple, convenient）などを表す形容詞を確認しておきましょう。素材を表す glass, metal, plastic などの名詞（形容詞的にも用いられる）も押さえておくとよいでしょう。

♪109 日→英　♪110 QR　♪111 英

□ この機器は長期間安心してお使いいただけるとお約束します。

This appliance is guaranteed to provide long, reliable service.

□ このスマートフォンは使いやすく，安価です。

This smartphone is easy to use and inexpensive.

□ この車は経済的です。

This car is economical to run.

□ 当社のチョコレートは最高級の材料を使って作られています。

Our chocolates are made with top-quality ingredients.

□ 当社のワインは地元産のブドウから作られています。

Our wines are made from locally-grown grapes.

□ この椅子は金属とプラスチックでできています。

This chair is made of metal and plastic.

5
説明する

Tips　商品の特徴を伝える表現

商品の特徴を伝える上で，素材についての説明が必要になる場合もありますね。素材の説明をする際には，be made from 〜，be made of 〜，be made with 〜 を使います。「〜産のぶどうから作られるワイン」のように原形をとどめていない場合は be made from 〜，「木製の机」のように素材がすぐにわかる場合には be made of 〜を用います。be made with 〜 は複数の材料，原料の一部である場合に用いられます。説明する製品によって使い分けましょう。

手順・工程（process）の説明　〜順序だてて説明する〜

手順や工程を相手にわかりやすく伝えるためには，まず全体像をイメージしてもらった上で，詳細な作業内容や順序を説明していくのが効果的です。

♪112 日→英 ♪113 QR ♪114 英

基本情報の提示

☐ どのように計画を進めるかを説明します。

Here's how we're going to get the project going.

☐ 手順は4つの段階に分けることができます。

The process can be divided into four steps.

詳細説明

順序立てて説明する上で，最もわかりやすい表現が，First（初めに），Second / Secondly（第二に），Then / Next（次に），Third / Thirdly（第三に），Lastly / Finally（最後に）などの副詞です。説明の際にすぐ出てくるよう頭に入れておきましょう。また，before（〜の前）や after（〜のあと），when（…の時），as soon as（…するとすぐに），once（いったん…したら），until（…する時まで）などの前後関係を表す接続詞や前置詞を使うことも有効です。

☐ まず，午前7時ちょうどに会場の入り口に集合します。

First, we're going to meet at the entrance to the venue at 7:00 a.m. sharp.

☐ 第二にブースの準備を始めます。

Second, we'll get started setting up the booth.

☐ 第三にデモ用機器を準備します。

Third, we'll set up the demonstration device.

☐ 最後に販促資料を確認します。

Finally, we'll check the promotional materials.

☐ 商品は出荷前に検品されます。

The products are checked before they are shipped.

部品は工場に届いてすぐに点検されます。	As soon as the parts are delivered to the factory, they are inspected.
この段階でサンプルが研究所に送られて分析を受けます。	At this stage, the samples are sent to the laboratory for analysis.
完成品が検査に合格すると包装されます。	When the final products have passed the inspection, they are packaged.
新しいシステムが起動して稼働するようになったら，情報をそちらに移します。	Once the new system is up and running, we will transfer our records onto it.

5

説明する

Tips 受動態を使うのが適切な場合

商品の製造工程などを説明する際は，多くの場合で受動態が使われます。というのも，能動態は行為者が主語となりますが，工程の話をする際は「誰が…するか」よりも「物がどのように…されるか」が重要な情報だからです。能動態・受動態をうまく使い分けて，効果的に内容が伝えられるようにしましょう。

Fresh fruit **is placed** in the squeezing machine and **squeezed** to extract the juice. Sugar and other flavoring ingredients **are** also **mixed** in. Sparkling water **is added** to complete the drink. It**'s poured** into individual bottles, **weighed**, and **capped**. And then it**'s put** in boxes, **loaded** onto trucks and **delivered** to our distributors.
（新鮮な果物を搾り機にセットして果汁を抽出します。砂糖とその他の香り付けの材料も混ぜられます。そこに炭酸水を加えて飲料の完成です。個々のボトルに注ぎ，重さを量ってふたをします。そして箱に入れてトラックに積み込み，販売店まで届けられます。）

動向（trend）の説明　〜数字の変化を示して説明する〜

営業職に限らず，自社の売上や関連市場の動向について説明する機会はあると思います。「増加」「横ばい」「減少」といった売上や市場の変化を，動詞の時制と副詞を組み合わせて説明する表現を確認しましょう。

♪115 日→英　♪116 QR　♪117 英

基本情報の提示

□ 当社の第4四半期の業績をご覧いただいているかと思います。

You have probably seen our results for the last quarter.

□ 今日お話ししたいことは5つあります。

There are five things I'd like to cover today.

□ 販売拡大のための私たちの提案には3つの項目があります。

Our proposal to expand sales consists of three points.

詳細説明

売上が「伸びている／落ちている」と言いたい時は，「上昇・増加」を表す rise や grow，「下降・減少」を表す fall，decline，drop などの動詞を使います。程度や様子を表す副詞や，by 〜 のような差を表す表現を用いることで状況を的確に描写することができます。

また，「…という傾向が続いている」という継続的な状況は現在完了を用いる，「現在…な状況だ」という現時点で進行中の動向は現在進行形を用いるなど，時制を使い分けることも有効です。

□ 当社のスポーツシューズはさらに大きな反響を呼んでいます。

Our sports shoes are becoming more successful.

□ そのサービスに対する需要はそこそこ増加しています。

The demand for the service is growing modestly.

□ 休暇の直前に販売は若干増加しました。

Sales rose slightly right before the holidays.

□ 輸出額は着実に伸びてきました。

Our exports have grown steadily.

☐ 市場はゆっくりと回復してきています。	**The market** has been slowly recovering.
☐ 当社は市場占有率を25%から30%に伸ばしました。	**We** have increased **our market share from 25% to 30%.**
☐ 収益には着実な増加が見られます。	**We** see a steady increase **in profit.**
☐ 注文数がここ数年徐々に減少しています。	**The number of orders** has been gradually decreasing **in recent years.**
☐ 繁忙期が終わると販売は劇的に減少しました。	**Sales** fell drastically **after the busy season was over.**
☐ 収益はほぼ10%落ち込みました。	**Our profits** have fallen by almost 10%.
☐ 顧客の数が15%減少しました。	**The number of customers** has dropped by 15%.
☐ 我が社の上半期の業績は売上の急激な減少を見せました。	**Our results for the first half** showed a sharp decline **in sales.**

5
説明する

Tips　売上のアップダウンを表す表現

売上などの上昇・減少を表すには rise や grow, fall, decline, drop などの動詞を用いる他、それぞれの名詞形を show などの動詞と組み合わせて、show a rapid rise（急激な成長を見せる）、show 30% growth（30%の伸びを見せる）のように表すこともできます。
売上や利益がピークに達するという場合は reach a peak（ピークに達する）、reach a record high（記録的な最高水準に達する）のように言います。
Profits **reached a peak** and then went into decline.
（利益はピークに達し、それから下降に転じた。）
逆に「底を打つ」という場合は bottom out という表現が使えます。
We think the publishing market **has bottomed out**.
（我々は出版市場の市況は底を打ったと考えている。）

自分の見解の提示

「説明する」という場面において自らの見解や意見は必須ということではありませんが，ニュートラルな説明に自分の感想や意見・見解を加えることで，相手の印象に残りやすくなるという効果が期待できます。

☐ このディスプレイに簡単なガイドが表示されます。これがとても便利だと思っています。

This display gives a simple guide. I think it's very convenient.

☐ 環境に優しい新製品の発売で損失を埋め合わせたいと考えています。

We hope to make up the loss by introducing a new range of eco-friendly products.

☐ ネットでの売上は増加すると予測しています。

We expect our on-line sales to increase.

相手の理解の確認

相手の理解を確認する表現としては，「4　確認する」のp.63も参考にしてください。

☐ わからないことがあればおっしゃっていただけますか。

Could you let me know if there is anything unclear?

☐ うまく説明できたか自信がないので，何か質問があればおっしゃってください。

I'm not sure if I was able to explain it very well, so please ask me if there are any questions.

☐ 質問や懸念事項があれば，おっしゃってください。

If you have any questions or concerns, please let me know.

☐ お考えがあればお聞かせください。

I would appreciate any ideas you might have.

ROLE-PLAYING 1

Task

❶ Aの発言を英語で考えましょう。「説明」に関する表現については，左のフレームと前の部分で学習した表現を参考に表現してみましょう。単語・語句は下の **∴ Words & Phrases ∴** も参考にしてみてください。

❷ 音声を聞きながらAになりきって発話しましょう。音声ではBの発言のみが流れ，Aの発言部分はポーズになっています。

♪121
B only

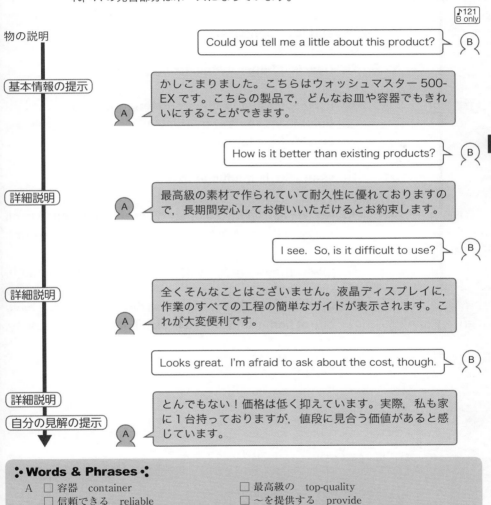

物の説明

Could you tell me a little about this product? — B

(基本情報の提示)

A かしこまりました。こちらはウォッシュマスター 500-EX です。こちらの製品で，どんなお皿や容器でもきれいにすることができます。

How is it better than existing products? — B

(詳細説明)

A 最高級の素材で作られていて耐久性に優れておりますので，長期間安心してお使いいただけるとお約束します。

I see. So, is it difficult to use? — B

(詳細説明)

A 全くそんなことはございません。液晶ディスプレイに，作業のすべての工程の簡単なガイドが表示されます。これが大変便利です。

Looks great. I'm afraid to ask about the cost, though. — B

(詳細説明)
(自分の見解の提示)

A とんでもない！価格は低く抑えています。実際，私も家に1台持っておりますが，値段に見合う価値があると感じています。

5
説明する

∴ Words & Phrases ∴

A ☐ 容器　container
　☐ 信頼できる　reliable
　☐ ～と確約〔保証〕する　guarantee
　☐ 便利な　convenient
B ☐ existing　既存の

☐ 最高級の　top-quality
☐ ～を提供する　provide
☐ 液晶表示の　LCD (Liquid Crystal Display)
☐ 金額に見合う価値　value for money

83

ROLE-PLAYING 1

解答例を確認しましょう。

♪122 A and B　♪123 A only　♪121 B only

物の説明

B: Could you tell me a little about this product?

基本情報の提示

A: Certainly.　This is the Wash Master 500-EX.　This product makes it possible to clean all kinds of dishes and food containers.

B: How is it better than existing products?

詳細説明

A: It's made with top-quality materials and has excellent durability, so it's guaranteed to provide reliable service for a long time.

B: I see.　So, is it difficult to use?

詳細説明

A: Not at all.　The LCD display gives a simple guide to all steps in the process.　This makes it very convenient.

B: Looks great.　I'm afraid to ask about the cost, though.

詳細説明
自分の見解の提示

A: Don't be!　We've kept the cost down.　Actually, I have one at home, and I feel it is excellent value for money.

訳　B：この製品のことを少し教えてもらえますか。
　　A：かしこまりました。こちらはウォッシュマスター 500-EX です。こちらの製品で，どんなお皿や容器もきれいにすることができます。
　　B：既存の商品と比べてどこがいいのですか。
　　A：最高級の素材で作られていて耐久性に優れておりますので，長期間安心してお使いいただけるとお約束します。
　　B：なるほど。ところで，それは使うのは難しいですか。
　　A：全くそんなことはございません。液晶ディスプレイに，作業のすべての工程の簡単なガイドが表示されます。これが大変便利です。
　　B：よさそうですね。でも，（高そうで）値段を聞くのが怖いな。
　　A：とんでもない！価格は低く抑えています。実際，私も家に 1 台持っておりますが，値段に見合う価値があると感じています。

ROLE-PLAYING 2

Task

❶ Aの発言を英語で考えましょう。「説明」に関する表現については，左のフレームと前の部分で学習した表現を参考に表現してみましょう。単語・語句は下の **⁘ Words & Phrases ⁘** も参考にしてみてください。

❷ 音声を聞きながらAになりきって発話しましょう。音声ではBの発言のみが流れ，Aの発言部分はポーズになっています。

♪124
B only

手順・工程の説明

Hey everyone. Tomorrow is finally the day we set up our booth at the Office Equipment Expo. I'd like to make sure everyone knows what to do. We'll divide the plan into two parts. The first phase will be the preparations before the visitors come, and the second will be for after the expo opens. Sandra, could you explain how we will get the booth ready?

B

5
説明する

詳細説明

わかりました。まず，午前7時ちょうどに会場の入り口に全員集合します。それからブースの準備を始めます。マークとローラにはテーブルの設置を担当してもらい，ショーンとレイコにはデモ用機器を準備してもらいます。次に，デモのテストを行います。その前に，サムが会場の事務所に行き，電気コンセント用の延長コードを持ってきます。最後に，デモの準備ができたら，台本の最終リハーサルを行い，お客様がいらっしゃるのをお待ちします。

A

Thank you, Sandra. If anyone has any questions, feel free to ask. Now, let me explain what will happen after the expo opens.

B

⁘ Words & Phrases ⁘

A
- ☐ 会場 venue
- ☐ コンセント outlet
- ☐ 台本 script
- ☐ ～の責任を負う；～を担当する be responsible for ～
- ☐ 延長コード extension cord
- ☐ リハーサル rehearsal

B
- ☐ office equipment オフィス用品

85

ROLE-PLAYING 2

解答例を確認しましょう。

手順・工程の説明

基本情報の提示
詳細説明

B: Hey everyone. Tomorrow is finally the day we set up our booth at the Office Equipment Expo. I'd like to make sure everyone knows what to do. We'll divide the plan into two parts. The first **phase** will be the preparations before the visitors come, and the second will be for after the expo opens. Sandra, could you explain how we will get the booth ready?

詳細説明

A: Sure. First, we're all going to meet at the entrance to the venue at 7:00 a.m. sharp. Then we'll get started setting up the booth. Mark and Laura will be responsible for putting the tables together, and Sean and Reiko will set up the demonstration device. Next, we'll do a test run of the demonstration. Before that, Sam will go to the venue office and get extension cords for the electrical outlets. Finally, once the demo is ready, we'll do one last rehearsal of our scripts and wait for the visitors to arrive.

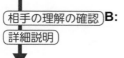

相手の理解の確認
詳細説明

B: Thank you, Sandra. If anyone has any questions, feel free to ask. Now, let me explain what will happen after the expo opens.

 訳

B：皆さん，明日はついに，オフィス用品展示会のブースを準備する日です。皆さんに段取りを確認してもらいたいと思います。予定を二段階に分けて説明します。最初の段階はお客様を迎える前の準備，第二段階は展示会が開場した後です。サンドラ，ブースの準備の説明をお願いします。

A：わかりました。まず，午前7時ちょうどに会場の入り口に全員集合します。それからブースの準備を始めます。マークとローラにはテーブルの設置を担当してもらい，ショーンとレイコにはデモ用機器を準備してもらいます。次に，デモのテストを行います。その前に，サムが会場の事務所に行き，電気コンセント用の延長コードを持ってきます。最後に，デモの準備ができたら，台本の最終リハーサルを行い，お客様がいらっしゃるのをお待ちします。

B：サンドラ，ありがとう。皆さん，質問があれば，遠慮なく言ってください。では次に私が開場後の段取りを説明します。

ROLE-PLAYING 3

Scene 副社長に四半期の売上について説明しています。

Task

❶ Aの発言を英語で考えましょう。「説明」に関する表現については，左のフレームと前の部分で学習した表現を参考に表現してみましょう。単語・語句は下の **:•: Words & Phrases :•:** も参考にしてみてください。

❷音声を聞きながらAになりきって発話しましょう。音声ではBの発言のみが流れ，Aの発言部分はポーズになっています。

♪127
B only

5 説明する

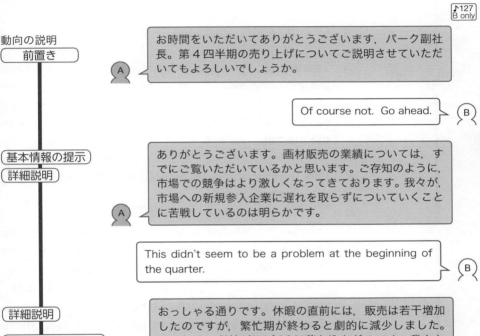

動向の説明
前置き

A お時間をいただいてありがとうございます，パーク副社長。第4四半期の売り上げについてご説明させていただいてもよろしいでしょうか。

B Of course not. Go ahead.

基本情報の提示
詳細説明

A ありがとうございます。画材販売の業績については，すでにご覧いただいているかと思います。ご存知のように，市場での競争はより激しくなってきております。我々が，市場への新規参入企業に遅れを取らずについていくことに苦戦しているのは明らかです。

B This didn't seem to be a problem at the beginning of the quarter.

詳細説明

自分の見解の提示

A おっしゃる通りです。休暇の直前には，販売は若干増加したのですが，繁忙期が終わると劇的に減少しました。そのため，利益がほぼ10%落ち込んだのです。我々としては，この四半期の損失は，主要商品のいくつかの値下げ，並びに水彩絵の具の新色発売で埋め合わせたいと考えています。

B I see. Please update me if there is any progress.

:•: Words & Phrases :•:

A
- ☐ 四半期 quarter
- ☐ 遅れずついていく keep up with
- ☐ 劇的に drastically
- ☐ 水彩絵の具 watercolor paint
- ☐ 激しい intense
- ☐ 若干；わずかに slightly
- ☐ 利益 profit
- ☐ 新参者 entrant
- ☐ 損失 loss

解答例を確認しましょう。

♪128 A and B　♪129 A only　♪127 B only

動向の説明

前置き

A: Thank you for giving us your time, Vice President Park. Do you mind if I explain our sales in the last quarter?

B: Of course not. Go ahead.

基本情報の提示
詳細説明

A: Thank you. You have probably seen the results from the art supplies. As you know, competition in the market is becoming more intense. We clearly are having trouble keeping up with the new entrants to the market.

B: This didn't seem to be a problem at the beginning of the quarter.

詳細説明

A: That is correct. Sales rose slightly right before the holidays. However, they fell drastically after the heavy shopping season was over. Therefore, our profits have fallen by almost 10%. We hope to make up the loss in this quarter by cutting prices on some of our major products and by introducing new colors in our line of watercolor paints.

自分の見解の提示

B: I see. Please update me if there is any progress.

 訳
A：お時間をいただいてありがとうございます，パーク副社長。第4四半期の売り上げについてご説明させていただいてもよろしいでしょうか。
B：わかりました。続けてください。
A：ありがとうございます。画材販売の業績については，すでにご覧いただいているかと思います。ご存知のように，市場での競争はより激しくなってきております。我々が，市場への新規参入企業に遅れを取らずについていくことに苦戦しているのは明らかです。
B：この四半期の序盤は問題ないように見えていたかと思いますが。
A：おっしゃる通りです。休暇の直前には，販売は若干増加したのですが，繁忙期が終わると劇的に減少しました。そのため，利益がほぼ10％落ち込んだのです。我々としては，この四半期の損失は，主要商品のいくつかの値下げ，並びに水彩絵の具の新色発売で埋め合わせたいと考えています。
B：わかりました。進捗がありましたら報告してください。

Review

ROLE-PLAYING 1：商品の説明を求められ，さまざまな角度から説明をしています。お客様に購入していただけるよう，商品の優れている点をアピールする top-quality，reliable などの形容詞を活用しています。it's guaranteed to ...（…することが保証されている）といった表現や自身が使ってみての感想を述べていることも，お客様に安心感を与えるのに一役買っています。

ROLE-PLAYING 2：たくさんの人がそれぞれの立場・立ち位置で行動するイベントの運営手順について説明する場面で，段取りを正しく理解してもらえるよう順序立てて説明しています。誰に何を担当してもらうのかという指示も，明確に伝える必要があります。相手の理解度の確認は，ここでは説明をしたAさんではなくBさんが行っています。

ROLE-PLAYING 3：第4四半期の画材販売の動向について，大まかな状況→時系列でのより細かい変化の順に説明しています。聞く側がどんな情報を求めているかを考慮して，最後に今後どのような対策を考えているかという内容も盛り込んでいます。

5

説明する

COLUMN

海外向けの出荷においては，台風や港湾ストライキによる貨物輸送の遅延などといったことはしばしば発生します。基本的に不可抗力によるものも多く，私が関わっていたビジネスでも数日の遅延などは，「問題ない」と応じてもらえることがほとんどでしたが，時に大きなトラブルで1カ月以上の出荷遅延が生じ，しっかりと説明責任を果たさなければならないようなこともありました。そのような場合に常に意識していたのは，「現状について，できるだけ迅速に相手に説明する」ということです。ニュースなどでトラブルの隠蔽といったことを耳にすることもありますが，発生してしまったトラブルを隠していても後々いいことなど何もありません。電話であれメールであれ，まずは早目に The reason I'm calling is that ... ／ I am writing to inform you that ...（ご連絡・メールしたのは…の件です）のように一報を入れるということが大切です。これにより相手側も早目にトラブルを把握し，何らかの対策を講じることが可能になります。また，初期段階で詳しい状況説明ができないような場合も多々ありますが，そのような時にも We'll keep you updated (posted).（随時連絡します）と一言説明を加えておけば相手もいたずらに不安にならずにすみます。特にスピードが求められるビジネスでは，状況説明のため迅速な連絡を行うことを心がけていきたいですね。

6 | 報告する

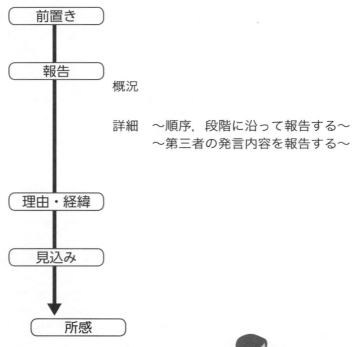

前置き

報告　　　概況

　　　　　詳細　　〜順序，段階に沿って報告する〜
　　　　　　　　　〜第三者の発言内容を報告する〜

理由・経緯

見込み

所感

報告をする際には，要点をはっきりと確実に伝える必要があります。「簡単に速く伝えたいこと」「相手にとって都合が悪いこと」など，状況にあわせて表現を使い分けましょう。進捗の遅れがある場合などは，そうした状況に至った経緯や今後の見込みなど，聞く側が必要とする情報も整理して伝えることが大切です。

前置き

いきなり話を切り出すのではなく，最初に相手側に心構えをしてもらってから報告の内容に移りましょう。「報告する」ことに気をとられて，相手の状況を確認する配慮を忘れるということがないようにしたいものですね。
（前置きの表現は「1　依頼する」（p.12）を参照。）

報告

最初に「これから〜について報告します」などと要点を伝えます。仕事の進捗状況などを報告する際は，現状について，予定との差異などを含めながら明確に伝えましょう。まずは完了の有無を伝えることが重要です。完了している場合は **be complete** や **be done**，まだ完了していない場合は，**We have not finished 〜 yet.**（まだ〜は終えていません。）などと表します。予定との差異は **on schedule**（予定通り），**behind schedule ／ ahead of schedule**（予定より遅れている／進んでいる）などの表現で表します。

概況を伝えたら，段階に沿って詳細を伝えましょう。「5　説明する」（p.78）で扱った順序を表す表現や，時間を示す表現も活用して，順序立ったわかりやすい報告を心がけましょう。

「〜さんによると…とのことです」のように他の人の発言を伝える際は，状況に応じて伝達動詞を使い分けることによって，発言者の意図や，発言の重要度を含めて伝えることができます。

理由・経緯

進捗が遅れている場合やうまくいっていない場合は，具体的な理由を添えましょう。理由を表す接続詞や，原因を主語にした無生物主語構文などを使って表します。
because of 〜（〜のせいで）／ because ...（…するので）
S forced 〜 to …（S のせいで〜はやむなく…することになった）

見込み

現状を報告したら，今後の見込みを伝えます。遅れの回復や目標達成に向けてどのような対策をしているかを伝えることは必須です。的確に伝えましょう。

所感

報告を受ける側は，報告を受けたら反応を返します。報告を受けるだけではなくて，コメントすることもチームで仕事を進める上で大切ですね。

6
報告する

報告

概況

♪130 日→英　♪131 QR　♪132 英

I'd like to tell you ...（…を伝えたいと思います），I have to tell you...（…とお伝えしなくてはなりません）といった表現に，伝える内容の文〈that S + V〉や about ～ を続けます。相手にとって都合が悪いことを伝える場合は，I'm afraid (to say ...)（申し訳ありませんが，…とお伝えします）など，状況に応じて表現を使い分けましょう。

業務の進捗などを報告する際には，完了の有無，スケジュールとの差異といった大枠を簡潔に伝えます。

□ 次の会議で議論されると思われる問題についていくつかお話ししたいと思います。

I'd like to talk to you about some issues that will probably be discussed at the next meeting.

□ 販売戦略を調整する必要があるとお伝えしなければなりません。

I have to tell you we need to adjust our sales strategy.

□ 申し訳ありませんが，明日のミーティングをキャンセルしなければなりません。

I'm afraid we have to cancel our meeting tomorrow.

□ プロジェクトの企画を終えたことをお伝えしたいと思いました。

I wanted to tell you we have just finished the project planning.

□ 万が一に備え，現在の状況をお伝えしておきたいと思っています。

I want to inform you of the current situation just in case.

□ 会議に向け心構えができるよう，お知らせしたいことがあります。

There is something I'd like to tell you so you know what to expect at the meeting.

＊報告の目的を添えている

☐ スケジュール通りです。

We are on schedule.

☐ 彼らはスケジュールより少し遅れています。

They are a little behind schedule.

☐ 予定より1週間早く進んでいます。

We're a week ahead of schedule.

☐ 工事はほとんど終わっています。

The construction is nearly finished.

☐ その仕事はほとんど終わりました。

We've almost finished **the work.**

☐ 売上報告書は完成しました。

The sales reports are done.

☐ マーケティング計画はまだできていません。

Our marketing plan isn't finished yet.

☐ ウェブサイトはまだ完成していません。

Our website is not complete yet.

☐ まだそれに取り組んでいるところです。

We are still working on it.

6
報告する

Tips ビジネス上の報告に求められること

ビジネスではスピードが重要です。報告はもちろん，情報提供やお礼などは，短い言葉でもタイミングよく発信するようにしたいものです。速報として伝える場合は，I wanted to **briefly** inform you of 〜 （〜を簡単にお伝えしたいと思いました）という表現が便利です。メールであれば **This is a brief note to let you know that** we liked your suggestion. （御社の提案が気に入ったことを，取り急ぎお伝えいたします。），**Just a note to let you know that** the meeting has been canceled. （会議のキャンセルを取り急ぎご連絡します。）なども，迅速にコミュニケーションをとるには便利な表現です。
業務を抜けもれなく進めるために，知っているかもしれないけれど「念のため (just in case)」報告するという姿勢も大切ですね。

詳細　〜順序，段階に沿って報告する〜

♪133 日→英 ／ ♪134 QR ／ ♪135 英

概況に続いて詳細を報告する際には，順序を表す表現や具体的な日時を入れたり，複数の事柄の異なる状況を対比させたりして，事実を正確に伝えるようにしましょう。時制にも注意が必要です。

□ プロジェクトの第一段階は終了しました。今，第二段階に取り組んでいるところですが，予定よりやや遅れています。

The first phase of the project is done. We are now getting the second phase going, but we are a little behind schedule.

□ 先週金曜日に会場の予約を完了し，月曜日に配布物の印刷に取りかかりました。

We finished booking the venue last Friday and set about printing the handouts on Monday.

□ 正午頃から接続に時間がかかるようになり，午後1時にはつながらなくなっていました。

The connection became slow at around noon, and it was down at 1 p.m.

□ 売り上げは5月までは好調でしたが，6月の後半から失速しています。

Sales were high until May but they have been slowing since late June.

□ イベントの計画はほぼ完成していますが，予算案作成がまだ終わっていません。

The event planning is almost complete. However, we have not finished budgeting yet.

Tips 感情を加えて報告する

嬉しい報告をする時，相手と喜びを共有したいと思うのはビジネスの場でも同じですよね。よい内容を伝える時は，I'm happy to tell you that ...（…とお伝えできてうれしく思います），言いにくいことを伝える時には I'm sorry (to say so), but ...（…とお伝えせねばならず残念です），Unfortunately ...（残念なことに…）といった表現を使って感情を添えてみましょう。

I'm happy to tell you that we reached our sales target.
（販売目標を達成したことをお伝えできてうれしく思います。）

I'm sorry, but those brands failed to meet their targets.
（それらのブランドが目標を達成しなかったことをお伝えしなければならず，残念です。）

Unfortunately, we must inform you that we are unable to respond to your request.
（残念ながら御社のご依頼にお応えできないことをお伝えしなければなりません。）

詳細　〜第三者の発言内容を報告する〜

第三者の発言について報告する場合，動詞を使い分けることによって，状況をより正確に伝えることができます。admit that …（…を事実だと認める）／ suggest …ing（…しようと提案する）／ suggest that …（…しようと提案する；…とほのめかす）／ point out that …（…と指摘する）／ notify 人 of 〜〔that …〕（人に〜を〔…だと〕（正式に）通知する）／ confirm that …（確かに…だと確認する）／ mention that …（…と述べる）など，使いこなせる動詞のバリエーションを増やしておくとよいですね。

□ ジェイソンは上司が休暇中なのだと言っていました。

Jason said that his boss was on vacation.

□ 彼は予想したよりも時間がかかるだろうと認めていました。

He admitted that it would take longer than he had expected.

□ レイチェルは締め切りの延長を提案しました。

Rachel suggested extending the deadline.

□ 彼女はスプレッドシートに誤りがあると指摘しました。

She pointed out that there was an error in the spreadsheet.

□ ジョーンズさんから次の会議の日程の通知をいただきました。

Mr. Jones notified me of the date for the next meeting.

□ 経理部長は数字が正しいことを確認しました。

Our financial controller confirmed that the figures were correct.

6
報告する

理由・経緯

順調に進んでいる場合は不要ですが，進捗に遅れがある場合などは，そうした状況に至った経緯を添えて報告するようにしましょう。

♪139 日→英　♪140 QR　♪141 英

□ 作業はシステム障害のために2時間遅れました。

The work was delayed for two hours because of a system error.

□ いくつかの資材の到着が間に合わなかったのでスケジュールより遅れています。

We're behind schedule because some materials weren't delivered on time.

□ お客様は出張中なのでまだ話をしていません。

We haven't talked to the clients yet because they are away on business now.

□ 技術上の問題がいくつか見つかったので完成が遅れています。

The completion has been delayed because we discovered some technical problems.

□ 日程が重なったため，会議を延期しなければなりませんでした。

We had to postpone the meeting due to schedule conflicts.

□ 天候のせいで，彼らは訪問のスケジュール変更を余儀なくされたのです。

The weather has forced them to reschedule the visit.

Tips 締めの一言を添えましょう

報告の最後には，「これですべて報告しました」という目印の一言を添えると，聞く側が次の行動に移りやすくなります。
I'm sorry to say that's all the information I have now.
（残念ながら，今ある情報は以上です。）
I'll keep you updated on the matter.
（その件については最新情報を随時お知らせします。）

96

今後の見込みを伝える際は，will や be going to で未来のことを表しますが，be going to の方が，確実に起こる出来事を示すニュアンスが強くなります。また，I will ... は，話している時点で決めたことを表し，I am going to ... は以前から決まっていたことを表します。

完了していないことについては，「いつ完了する見込みなのか」を by 〜（〜までには）などを用いて具体的に伝えることも重要です。今後が予測できない場合は，見通しがはっきりしないことを伝えておくのがよいでしょう。

♪142 日→英　♪143 QR　♪144 英

□ ウェブサイトは予定通りに立ち上げられないと思います。

I don't think the website is going to be launched on time.

□ 私がこれまでに聞いた話では，彼らはプロジェクトを中止するようです。

From what I have heard so far, they will cancel the project.

□ あと数日で終わるでしょう。

It will be a few more days before we finish.

□ 今週末までに完成できるはずです。

We should be able to complete it by the end of this week.

□ 金曜までには先方から報告があるはずです。

I'm sure we can expect to hear from them by Friday.

□ 5時までにはITチームが問題を解決してくれるでしょう。

I expect that the IT team will fix the problem by 5 p.m.

□ 自信を持って結果を予想することはできません。

We can't confidently predict the results.

□ 結果については予測できない状況です。

We can't make any predictions regarding the results.

6
報告する

所感

報告を受けたらそれについての反応を返しましょう。相手の報告内容がよかった場合の表現，不安要素が大きい場合の表現を押さえておきましょう。

♪145 日→英　♪146 QR　♪147 英

□ それを聞いて，大変うれしいです。

I'm so pleased **to hear that.**

□ そうできたら素晴らしいですね。

That'll be great.

□ あなたをとても誇りに思います。

I'm so proud of you.

□ うまくいけば大変うれしいのですが。

I will be so glad **if it works out.**

□ それを諦めなくてはならなくなるのは，本当に残念です。

It's a real shame **we'll have to give up on it.**

□ 計画が白紙になったら最悪ですね。

It'll be awful **if the plan falls apart.**

Tips　感謝の気持ちを表すことも忘れずに

報告を受けた際には，報告内容に対する所感を示すこととあわせて，報告してくれたという行為に対してお礼を述べることも忘れないようにしたいものです。あまりよくない内容の報告であっても，Thank you for letting me know.（知らせてくれてありがとう。），I appreciate your report.（ご報告に感謝します。）など，ともかく知らせてくれてありがとうという気持ちを伝えるように心がけましょう。

ROLE-PLAYING 1

Task
❶ Aの発言を英語で考えましょう。「報告」に関する表現については，左のフレームと前の部分で学習した表現を参考に表現してみましょう。単語・語句は下の **∵ Words & Phrases ∵** も参考にしてみてください。
❷ 音声を聞きながら A になりきって発話しましょう。音声では B の発言のみが流れ，A の発言部分はポーズになっています。

♪148
B only

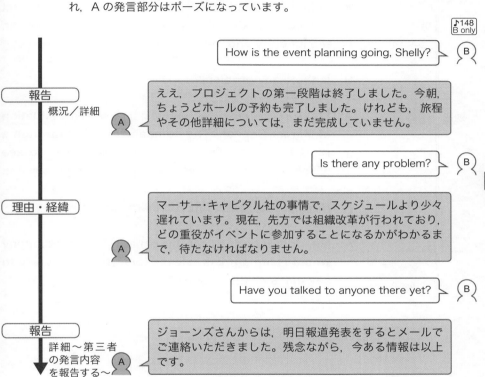

How is the event planning going, Shelly? B

報告
概況／詳細
A ええ，プロジェクトの第一段階は終了しました。今朝，ちょうどホールの予約も完了しました。けれども，旅程やその他詳細については，まだ完成していません。

Is there any problem? B

理由・経緯
A マーサー・キャピタル社の事情で，スケジュールより少々遅れています。現在，先方では組織改革が行われており，どの重役がイベントに参加することになるかがわかるまで，待たなければなりません。

Have you talked to anyone there yet? B

報告
詳細〜第三者の発言内容を報告する〜
A ジョーンズさんからは，明日報道発表をするとメールでご連絡いただきました。残念ながら，今ある情報は以上です。

6
報告する

∵ Words & Phrases ∵

A
- [ ] 段階 phase
- [ ] 旅程 itinerary
- [ ] スケジュールより遅れて behind schedule
- [ ] 重役 executive
- [ ] 完成した complete
- [ ] 組織改革 reorganization
- [ ] 報道発表 press release

ROLE-PLAYING 1

解答例を確認しましょう。

149
A and B ♪150
A only ♪148
B only

B: How is the event planning going, Shelly?

報告
概況／詳細

A: Well, the first phase of the project is done. We just finished **booking the halls this morning. However, the itinerary and other details** are not complete yet.

B: Is there any problem?

理由・経緯

A: We're a little behind schedule because of the situation at Mercer Capital. **The company is going through a reorganization,** which has forced us to wait **to see which of their executives will be attending the event.**

B: Have you talked to anyone there yet?

報告
詳細～第三者
の発言内容を
報告する～

A: Ms. Jones notified me by e-mail that **the company would issue a press release tomorrow. I'm sorry to say that's all the information I have now.**

訳 B：イベントの計画の進み具合は，どうですか，シェリー？
A：ええ，プロジェクトの第一段階は終了しました。今朝，ちょうどホールの予約も完了しました。けれども，旅程やその他詳細については，まだ完成していません。
B：何か問題はありますか。
A：マーサー・キャピタル社の事情で，スケジュールより少々遅れています。現在，先方では組織改革が行われており，どの重役がイベントに参加することになるかがわかるまで，待たなければなりません。
B：あちらの関係者に話はしましたか。
A：ジョーンズさんからは，明日報道発表をするとメールでご連絡いただきました。残念ながら，今ある情報は以上です。

ROLE-PLAYING 2

Task
❶Aの発言を英語で考えましょう。「報告」に関する表現については，左のフレームと前の部分で学習した表現を参考に表現してみましょう。単語・語句は下の **⁑ Words & Phrases ⁑** も参考にしてみてください。
❷音声を聞きながらAになりきって発話しましょう。音声ではBの発言のみが流れ，Aの発言部分はポーズになっています。

♪151
B only

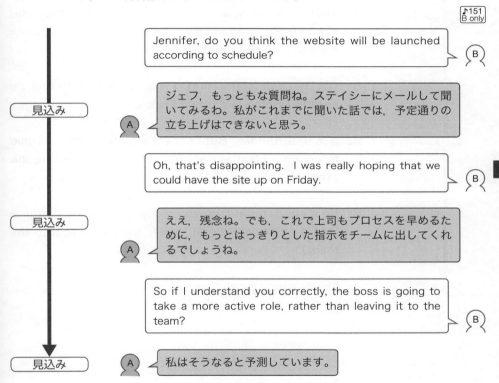

Jennifer, do you think the website will be launched according to schedule? **B**

見込み **A** ジェフ，もっともな質問ね。ステイシーにメールして聞いてみるわ。私がこれまでに聞いた話では，予定通りの立ち上げはできないと思う。

Oh, that's disappointing. I was really hoping that we could have the site up on Friday. **B**

見込み **A** ええ，残念ね。でも，これで上司もプロセスを早めるために，もっとはっきりとした指示をチームに出してくれるでしょうね。

So if I understand you correctly, the boss is going to take a more active role, rather than leaving it to the team? **B**

見込み **A** 私はそうなると予測しています。

6
報告する

⁑ Words & Phrases ⁑

A □ （事が）残念な　unfortunate　　　　　　□ …だと予測する　predict
B □ launch　～を立ち上げる　　　　　　　　□ according to schedule　スケジュール通りに
　 □ disappointing　（人を）がっかりさせる
　 □ take an active role　積極的にかかわる

ROLE-PLAYING 2

解答例を確認しましょう。

B: Jennifer, do you think the website will be launched according to schedule?

A: That's a good question, Jeff. I will e-mail Stacy and ask her. From what I have heard so far, I don't think it's going to be launched on time.

B: Oh, that's disappointing. I was really hoping that we could have the site up on Friday.

A: It is unfortunate. But I expect that our boss will give the team a clear set of instructions to speed up the process.

B: So if I understand you correctly, the boss is going to take a more active role, rather than leaving it to the team?

A: That's what I predict will happen.

訳　B：ジェニファー，ウェブサイトはスケジュール通りに立ち上げられると思う？
　　A：ジェフ，もっともな質問ね。ステイシーにメールして聞いてみるわ。私がこれまでに聞いた話では，予定通りの立ち上げはできないと思う。
　　B：がっかりだな。金曜にはサイトが立ち上がるといいと思っていたんだけどな。
　　A：ええ，残念ね。でも，これで上司もプロセスを早めるために，もっとはっきりとした指示をチームに出してくれるでしょうね。
　　B：もし僕の理解が正しければ，上司がチームに業務を任せるのではなく，もっと積極的に関わるということとかな。
　　A：私はそうなると予測しています。

ROLE-PLAYING 3

Task

❶ Aの発言を英語で考えましょう。「報告」に関する表現については，左のフレームと前の部分で学習した表現を参考に表現してみましょう。単語・語句は下の **∴ Words & Phrases ∴** も参考にしてみてください。

❷ 音声を聞きながらAになりきって発話しましょう。音声ではBの発言のみが流れ，Aの発言部分はポーズになっています。

♪154
B only

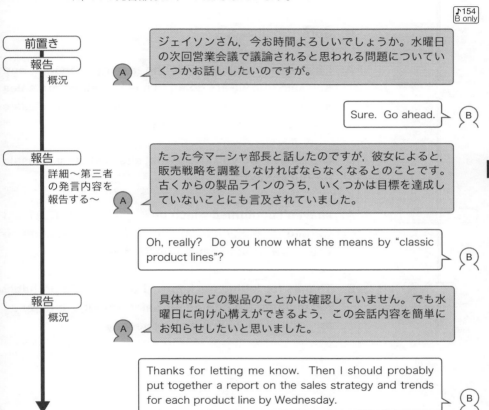

前置き
報告
概況

A：ジェイソンさん，今お時間よろしいでしょうか。水曜日の次回営業会議で議論されると思われる問題についていくつかお話ししたいのですが。

B：Sure. Go ahead.

報告
詳細～第三者の発言内容を報告する～

A：たった今マーシャ部長と話したのですが，彼女によると，販売戦略を調整しなければならなくなるとのことです。古くからの製品ラインのうち，いくつかは目標を達成していないことにも言及されていました。

B：Oh, really? Do you know what she means by "classic product lines"?

報告
概況

A：具体的にどの製品のことかは確認していません。でも水曜日に向け心構えができるよう，この会話内容を簡単にお知らせしたいと思いました。

B：Thanks for letting me know. Then I should probably put together a report on the sales strategy and trends for each product line by Wednesday.

6

報告する

∴ Words & Phrases ∴

A　□ 問題　issue
　　□ 販売戦略　sales strategy
　　□ 製品ライン　product line
B　□ trend　傾向

　　□ 部長　general manager
　　□ ～を調整する　adjust

ROLE-PLAYING 3

解答例を確認しましょう。

♪155 A and B　♪156 A only　♪154 B only

前置き
報告
概況

A: Hi, Jason. Do you have a moment? I'd like to talk to you about some issues that will probably be discussed at the next sales meeting on Wednesday.

B: Sure. Go ahead.

報告
詳細～第三者の発言内容を報告する～

A: I just spoke with Marsha, the general manager, and she said that we are going to have to adjust our sales strategy. She mentioned that some of our classic product lines were not meeting targets.

B: Oh, really? Do you know what she means by "classic product lines"?

報告
概況

A: I haven't confirmed which ones she meant. But I just wanted to briefly inform you of this conversation so you know what to expect on Wednesday.

所感

B: Thanks for letting me know. Then I should probably put together a report on the sales strategy and trends for each product line by Wednesday.

訳　A：ジェイソンさん，今お時間よろしいでしょうか。水曜日の次回営業会議で議論されると思われる問題についていくつかお話ししたいのですが。
B：大丈夫ですよ。お願いします。
A：たった今マーシャ部長と話したのですが，彼女によると，販売戦略を調整しなければならなくなるとのことです。古くからの製品ラインのうち，いくつかは目標を達成していないことにも言及されていました。
B：そうですか。古くからの製品ラインというのは，どれを意味しているのかわかりますか。
A：具体的にどの製品のことかは確認していません。でも水曜日に向け心構えができるよう，この会話内容を簡単にお知らせしたいと思いました。
B：報告してくれてありがとう。水曜日までに，製品ごとの販売戦略と売り上げの傾向のレポートをまとめておく必要がありそうですね。

Review

ROLE-PLAYING 1：イベントの準備状況についての報告に際し，まず概況として何が完了していて，何が完了していないのかを伝え，上司からの質問を受け，遅れが発生している経緯について報告しています。報告の最後に，報告できることはすべて報告したということを伝えているので，聞いている上司はさらに質問を重ねる必要がなくなりますね。

ROLE-PLAYING 2：男性からウェブサイトの進捗を確認され，現状と今後の見込みを報告しています。当初のスケジュールで進んでいないという状況で，今後の対策についても言及しています。Ａさんの発言に対するＢさんの所感の伝え方，確認の仕方にも注目しましょう。

ROLE-PLAYING 3：今さっき入手した情報を，スピード感を持って報告している場面です。第三者の発言を伝える表現を確認しておきましょう。詳細は確認できていないけれど，まずは耳に入れておきたいという状況は実際の業務でもよくあることと思います。そうした場面で活かせるよう，会話の流れと表現を身に付けておくとよいですね。

6

報告する

COLUMN

ビジネスにおいては，常に上司やプロジェクトリーダーなど，上の立場の人に報告を行いながら仕事を進めていく必要があります。以前関わっていたプロジェクトでも，報告を要する場面が度々ありましたが，常に気を付けていたのは，そのタイミングです。例えば，さほど急ぎではないようなことを，忙しそうな上司に I'd like to give you an update on ～（～の件で最新状況をご報告したいのですが...）とタイミング悪く話しかけてしまうと，I'm too busy right now. Can it wait?（立て込んでいるから，後でもいい？）と言われてしまうこともあるでしょう。仮に時間を取ってもらえたとしても，忙しい相手の貴重な時間を奪ってしまうことにもなりかねません。報告の前には，必ず Do you have a minute?（お時間ありますか。）と「相手の都合を確認する」ことが大切です。なお，実際報告を行う際には The project is going smoothly so far, but I just have one concern.（今のところプロジェクトは順調ですが１つ気になる点があります。）のように要点を簡潔にまとめて話すようにし，関連データや資料などがあればあわせて提示できると，よりわかりやすい報告となります。日々忙しいビジネスの世界では，「報告」も手短に要領よく行うことを心がけていきたいですね。

7 | 提案する

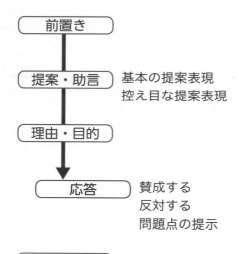

前置き

提案・助言 ── 基本の提案表現
控え目な提案表現

理由・目的

応答 ── 賛成する
反対する
問題点の提示

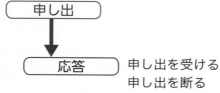

申し出

応答 ── 申し出を受ける
申し出を断る

会議や打ち合わせの場面において，あるいは上司や同僚とのやりとりの中で，現状を変えるために新しい提案をしたり，助言をしたり，自分が何かをすることを申し出たりする場面はよくあるでしょう。相手や周囲のためのせっかくの提案・助言・申し出を，気持ちよく受け取ってもらえるような組み立て方・表現を身に付けましょう。

提案や助言，申し出は，相手のために行うものですが，現状を変えることを伴いますから，唐突にならないよう注意し，相手が理解・納得しやすいように提案の理由・目的を添えるようにしましょう。左ページに記した通り，前置きをした後，提案を行ってから理由を述べる場合と，提案の理由となる状況を初めに述べてから提案につなげる場合が考えられます。

前置き

提案・助言を行う際はいきなり本題に入るのでなく，相手の都合や，会議の場の雰囲気などを考慮して，まずは「少しお時間よろしいですか」「発言してもよろしいですか」といった一言を述べるようにしましょう。「1　依頼する」(p.12) で扱った表現も参考にしてください。

提案・助言

改善案を提示する際によく用いるのは，**advise**, **recommend** などの動詞や助動詞 **should** を用いた表現です。
控え目に提案したい場合は，It might be a good idea ... ／ If I were you, I would ... のような表現を用いるとよいでしょう。

理由・目的

提案・助言に続けて理由や目的を表す際は because（since）節，to 不定詞などを用います。理由・目的を述べることで自らの提案に説得力を持たせることができます。理由を先に述べる場合には，その直後の提案の最初に That's why ... ／ For this reason, ／ Therefore などを置き，「だから…した方がよいでしょう〔しなければなりません〕」のように提案・助言を行っていくと効果的です。

応答

何か提案を受けた場合は，それに対して賛成なのか反対なのかということを明確に示すようにします。反論する場合でも，That would be nice, but ... ／ I understand what you're saying, but ... のように相手に配慮した表現を添えることが大切です。

申し出

問題などを抱えて困っている相手がいる場合には，「自分が…しましょうか」と申し出ることができると親切です。相手のために何かを申し出る表現を，応答の仕方とあわせて押さえておきましょう。

前置き

□ ちょっとお話ししてもよろしいですか。

Could I talk to you for a minute?

□ 来月の販売キャンペーンの件で，今お話ししてもよろしいですか。

Is this a good time to talk about next month's sales campaign?

□ 大阪のイベントの件でお話ししたいのですが。少しお時間よろしいですか。

I'd like to talk with you about the Osaka event. Could you spare me a few minutes?

□ お話の途中ですみませんが，ひと言言わせてください。

Excuse me for interrupting, but let me make a point.

＊会議などで意見を述べる場合

□ ちょっと提案させていただいてもよろしいですか。

May I suggest something? ／ May I make a suggestion?

□ あなたが東京の滞在先を探していると聞きました。お薦めとして，近くにいいホテルがあります。

I heard that you're looking for somewhere to stay in Tokyo. If I may make a suggestion, there's a good hotel near here.

提案・助言

基本の提案表現

□ 明日昼食を取りながら話し合うのはどうでしょうか。

How about a lunch meeting tomorrow?

□ デザインチームに，次回の会議に加わってもらえるよう頼んでみてはどうでしょうか。

How about asking the design team to join our next meeting?

☐ ロゴのデザインを変えるというのはどうですか。	**What do you say to changing the logo design?**
☐ マーケティング部の人に話をしてみてはどうですか。	**Why don't you talk to someone in the marketing department?**
☐ この問題について話し合う会議を設定することをお勧めします。	**I'd advise you to arrange a meeting to discuss this problem.**
☐ お客様の反応の分析にはかなりの時間をかけることをお勧めします。	**I'd advise spending a great deal of time analyzing customer feedback.**
☐ 研究開発チームに依頼して，新たな試作品を製作してもらうことを提言いたします。	**I recommend that we ask our R&D team to build a new prototype unit.**
☐ 空港から弊社オフィスまではタクシーのご利用をお勧めします。	**I recommend that you take a taxi from the airport to our office.**
☐ 日比谷にあるスカイタワーホテルが大変お薦めです。	**I highly recommend staying at Sky Tower Hotel in Hibiya.**
☐ 他の選択肢を調べた方がよいのではないでしょうか。	**I suggest we look into other options.**

7

提案する

Tips ▶ advise と recommend の使い分け

advise と recommend はともに，日本語にすると「勧める」というように訳せますが，実は両者には明確な意味上の違いがあります。advise は専門家や物事に詳しい人が忠告を行う場合にも使われますが，主として「起こりうる危険についての警告」を表し，何もしなければぶつかるであろう問題を避けるための助言を行う際に用いる語です。一方，recommend は主に「何かを行うことで生じる利点」を表す語で，肯定的な助言をしたり，積極的に何か行動を促したりする際に用いられます。微妙なニュアンスの違いを理解して，場面に応じてうまく advise と recommend を使い分けられるようにしておきましょう。

控え目な提案表現

□ この件に関しては，弁護士と相談した方がいいかもしれません。

It might be better to talk to our lawyer about this matter.

□ 上海の会議では，プロの通訳を雇った方がいいかもしれません。

It might be a good idea to hire a professional interpreter at the meeting in Shanghai.

□ 私があなたの立場なら，彼に助言を求めます。

If I were in your shoes, I would ask him for advice.

* **If I were you** ／ **If it were me** も用いられる

□ 滞在先として，タワーゲートホテルをお薦めします。

I would suggest Tower Gate Hotel as a good place for you to stay.

□ 私はそのパーティはもっと大きなホテルで開催した方がいいのではないかと思っていたのです。

I was thinking that it may be better to hold the party at a bigger hotel.

□ 東南アジアからの留学生の採用を考えたことはありますか。

Have you considered hiring foreign students from Southeast Asia?

□ 少なくとも会議開始の20分前には到着していた方がいいです。

You should be there at least 20 minutes before the start of the meeting.

□ 改装のために，食堂を一時的に休業にするというのもあり得るのではないでしょうか。

It could be an idea to temporarily close the cafeteria for renovations.

□ また10日に集まる時に，この件についてさらに議論した方がいいと思います。

I think we should discuss the matter further when we meet again on the 10th.

Tips 柔らかい印象で「...した方がよい」と助言を与える助動詞 should

相手に対して「…した方がよい」と提案を行う場合に，You had better ... と言いたくなるかもしれませんが，これは命令的な強い助言を表す表現ですので注意が必要です。You'd **better** leave now or you'll miss the train.（もう出発した方がいいですよ。さもないと電車に乗り遅れてしまいます。）というように，had better には「そうしないと思わしくない結果になる」という意味合いが含まれていることを押さえておきましょう。

提案の場面ではより柔らかいニュアンスのある You should ... を用いるのが適切です。日本語では「…すべきだ」と訳されることの多い should ですが，must（…しなければならない）のような強い強制力はなく，「…するとよいですよ」という意味合いですから，ビジネスに限らず様々な場面で使いやすい便利な表現です。

理由・目的

♪166 日→英 ♪167 QR ♪168 英

□ 彼がこちらを訪れるのは初めてなので，空港に誰かを迎えに行かせた方がいいと思います。

I suggest we send someone to pick him up at the airport because **it's his first visit here.**

□ 巨大台風が近づいているので，明日の会議日程を変更した方がいいと思います。

I think we should reschedule tomorrow's meeting since **a very big typhoon is approaching.**

□ チームのメンバーから非常に信頼されているので，私はクリスがその地位に適任だと思います。

I recommend Chris for the post because **he's highly trusted by team members.**

□ 多くのお客様が我々のサービスに満足していません。ですから，お客様によりよいサービスを提供する方法を見つける必要があります。

Many of our customers are not happy with our services. That's why we need to find a way to better serve our customers.

□ 新製品の売れ行きはよくありません。したがって，デジタル広告にもっとお金をかける必要があるかもしれません。

Our new product hasn't been selling very well. Therefore, we might need to spend more money on digital advertising.

7

提案する

111

応答

賛成・反対の表現については，「3 意見を述べる」の「賛成意見を述べる」「反対意見を述べる」（p.47 〜 49）で扱った表現も参考にしてください。

♪169 日→英　♪170 QR　♪171 英

賛成する

☐ それは思いつきませんでした。確かにそうかもしれません。

I didn't think of that.　You're probably right.

☐ 提案をありがとう。私もまさにそう思っていました。

Thank you for your suggestion. That's just what I was thinking.

反対する

☐ おっしゃっていることはわかりますが，私はその意見に同調できません。

I understand what you're saying, but I don't share your opinion.

☐ あなたのおっしゃる通りかもしれませんが，私は違う考えです。

You may be right, but my thoughts are different.

問題点の提示

☐ あなたの意見には賛成ですが，サービス改善に向けどうすべきかアイデアが浮かびません。

I agree with you, **but I have no idea what we should do to improve our services**.

☐ おっしゃりたいことはわかりますが，そのためにやらなければいけないことが多すぎます。

I can see your point, **but there are too many things to get done for that**.

☐ あなたの言う通りですが，問題はこのことに十分な時間を割けないということです。

I think you're right, **but the problem is that we don't have enough time to do this**.

相手から何か提案を受けた場合には，その提案に賛成なのか，反対なのかを明確に示すことが大切です。曖昧な態度で相手を困らせることがないよう，賛成・反対を表す表現バリエーションをしっかりと身に付けておくようにしましょう。また賛成の場合には「何かお役に立てることはありますか」「私が…しましょうか」と申し出るなど，協力して進めていく姿勢を示すこと，反対の場合には何が懸念事項として挙げられるのかを相手にわかりやすく伝えていくということもポイントです。

申し出

♪172 日→英　♪173 QR　♪174 英

□ お手伝いしましょうか。	**Shall I give you a hand?**
□ あとで彼から電話させましょうか。	**Shall I have him call you back later?**
□ トーマスに同行してもらえるよう頼んでみましょうか。	**Shall we ask Thomas to come along?**
□ 私が助言しましょうか。	**Would you like me to give you advice?**
□ 何か手伝えることはありませんか。	**Do you need any help?**
□ 何かお役に立てることはありますか。	**Is there something I can do for you?**
□ 他に何かお役に立てることはありますか。	**Is there anything else I can help you with?**
□ 何時にお迎えにうかがいましょうか。	**What time should I pick you up?**

7
提案する

113

応答

♪175 日→英 ♪176 QR ♪177 英

申し出を受ける

□ はい，お願いします。この机を動かすのを手伝ってもらえますか。

Yes, please. Could you help me move this desk?

□ ご厚意ありがとうございます。どんなアドバイスでもいただけるとありがたいです。

Thank you for your kind offer. Any advice would be greatly appreciated.

□ お気遣いありがとうございます。10時に迎えにきていただけると助かります。

Thank you for your concern. I'd appreciate it if you could pick me up at ten.

申し出を断る

□ いいえ，結構です。急ぎではありませんので，あとでかけ直します。

No, thank you. It's not urgent. I'll call him back later.

□ ありがとうございます。でも今は結構です。

I'm fine thanks. Maybe later.

□ ご親切にありがとうございます。でも結構です。

It's very kind of you to say so, but I'm fine.

Tips ▶ 相手からの申し出にはどう応じる

相手から何か申し出があった場合には，それを受けるのか断るのかを明確に示すことが大切ですが，それに加えて，受ける場合には具体的に相手にどうしてもらいたいのか（例：「折り返し電話をして欲しい」）を添える，断る場合には，「ありがとう，でも今は結構です。」といった気の利いた返答ができるようにしておくと，より丁寧な印象を相手に与えることができます。特に断る際には，相手を不快にさせないような言葉選びを心がけていくようにしましょう。声のトーンや話し方によっても相手に与える印象が変わりますので，気持ちを込めた発言を心掛けたいものです。

ROLE-PLAYING 1 〔 **Scene** 開発中の洗濯機のモニター調査結果をふまえ て改善点を提案しています。〕

Task
❶Aの発言を英語で考えましょう。「提案」に関する表現については，左のフレームと前の部分で学習した表現を参考に表現してみましょう。単語・語句は下の❖ **Words & Phrases** ❖も参考にしてみてください。
❷音声を聞きながらAになりきって発話しましょう。音声ではBの発言のみが流れ，Aの発言部分はポーズになっています。

♪178
B only

前置き

A もしもし，ジェーン？　ピーターです。製品モニターから受けた洗濯機についてのフィードバック内容についてお知らせしたいと思います。少しお時間いただけますか。

B Sure, Peter. I was waiting to hear about this. What's going on?

理由・目的

A モニターの方は，操作性に関し，いくつか問題があったと言っています。扉が開けにくく，コントロールパネルがとてもわかりにくいそうです。

B That's not good.

提案・助言

A 我々としては，デザインチームや，製造チームともこの結果を共有して，新たな試作品を考案するよう依頼する方がよいと思います。そのプロセスを始めるために，商品開発チームに他の製造業者の製品を見てアイデアを得るようアドバイスしたいと思います。

B Thank you for your suggestion. I'd like to look over the feedback a little more, so could you share the materials with me?

7
提案する

❖ **Words & Phrases** ❖
A □ フィードバック；評価　feedback
　　□ ～に関連している　related to ～
　　□ 試作品　prototype unit
B □ material　資料

□ 操作性　operability
□ わかりにくい　confusing
□ ～を考え出す　come up with ～

ROLE-PLAYING 1

解答例を確認しましょう。

♪179 A and B   ♪180 A only   ♪178 B only

前置き

A: Hello, Jane? This is Peter. I want to inform you about some feedback we got from our product testers about our washing machines. Do you have a minute?

B: Sure, Peter. I was waiting to hear about this. What's going on?

理由・目的

A: <u>The testers said they found several problems related to operability. They said that the door was difficult to open, and that the control panel was too confusing.</u>

B: That's not good.

提案・助言

A: We had better share these findings with the design team and the manufacturing team, and we should ask them to come up with a new prototype unit. To begin the process, I'd like to advise the development team to look at some other manufacturers' products and get some ideas.

応答

B: Thank you for your suggestion. I'd like to look over the feedback a little more, so could you share the materials with me?

訳　A：もしもし，ジェーン？　ピーターです。製品モニターから受けた洗濯機についてのフィードバック内容についてお知らせしたいと思います。少しお時間いただけますか。
　　B：ええ。大丈夫ですよ，ピーター。これを待っていたのです。どうなっていますか。
　　A：モニターの方は，操作性に関し，いくつか問題があったと言っています。扉が開けにくく，コントロールパネルがとてもわかりにくいそうです。
　　B：それは困りましたね。
　　A：我々としては，デザインチームや，製造チームともこの結果を共有して，新たな試作品を考案するよう依頼する方がよいと思います。そのプロセスを始めるために，商品開発チームに他の製造業者の製品を見てアイデアを得るようアドバイスしたいと思います。
　　B：提案，ありがとう。フィードバッグ内容をもう少し詳しく検討したいので資料を共有してもらえるかしら。

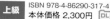

Z会の語学書
レベル・習得スキル・分野チャート

TOEIC®テ…
TOEFL®テ…
英…

TOEIC®L&R TEST対策 シリーズ

書名	初級	初中級	中級	中上級	上級	単語・熟語
はじめて受ける TOEIC® L&R TEST 600点攻略完全パッケージ		◎				
TOEIC® L&R TEST 730点攻略完全パッケージ		○	◎			
TOEIC® L&R TEST 900点攻略完全パッケージ				○	◎	
TOEIC® L&R TEST Part 1·2のアプローチ			○	◎		
TOEIC® L&R TEST Part 3·4のアプローチ			○	◎		
TOEIC® L&R TEST Part 5のアプローチ			○	◎		
TOEIC® L&R TEST Part 6·7のアプローチ			○	◎		
分析! 解決! TOEIC®テスト模試!		○	◎			
TOEIC® TEST 速読速聴·英単語 STANDARD 1800 ver.2		○	◎			◎
TOEIC® TEST 速読速聴·英単語 GLOBAL 900 ver.2				○	◎	◎

TOEFL®TEST対策 シリーズ

書名	初級	初中級	中級	中上級	上級	単語・熟語
英単語4000 受験英語からのTOEFL®Test		○	◎	◎	◎	◎
はじめて受けるTOEFL®TEST 攻略×アプローチ[改訂版]		◎	○			○
はじめて受けるTOEFL®TEST チャレンジ模試		○	◎	◎		
TOEFL iBT® TEST リーディングのエッセンス			○	◎		
TOEFL iBT® TEST リスニングのエッセンス			○	◎		
TOEFL iBT® TEST スピーキングのエッセンス			○	◎		
TOEFL iBT® TEST ライティングのエッセンス			○	◎		

テーマ別英単語 ACADEMIC シリーズ

書名	初級	初中級	中級	中上級	上級	単語・熟語
[初級]		◎	○			◎
[中級]01 人文·社会科学編			○	◎		◎
[中級]02 自然科学編			○	◎		◎
[上級]01 人文·社会科学編					◎	◎
[上級]02 自然科学編					◎	◎

習得スキル				分野				
ィング	リスニング	スピーキング	ライティング	TOEIC	TOEFL	ビジネス	日常	教養
	◎			◎				
	◎			◎				
	◎			◎				
	◎			◎				
	◎			◎				
				◎				
				◎				
	◎			◎				
	◎	○	○	◎		○		
	◎	○	○	◎		○		

習得スキル				分野				
ィング	リスニング	スピーキング	ライティング	TOEIC	TOEFL	ビジネス	日常	教養
	○				◎			
	◎	◎	◎		◎			
	◎	◎	◎		◎			
	○				◎			
	◎				◎			
	○	◎			◎			
	○		◎		◎			

習得スキル				分野				
ィング	リスニング	スピーキング	ライティング	TOEIC	TOEFL	ビジネス	日常	教養
	○				○			◎
	○				○			◎
	○				○			◎
	○				○			◎
	○				○			◎
	○				○			◎

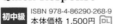

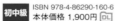

ROLE-PLAYING 2

Scene ウェブセミナーの録画場所について同僚に提案しています。

Task ❶Aの発言を英語で考えましょう。「提案」に関する表現については，左のフレームと前の部分で学習した表現を参考に表現してみましょう。単語・語句は下の ❖ **Words & Phrases** ❖も参考にしてみてください。

❷音声を聞きながらAになりきって発話しましょう。音声ではBの発言のみが流れ，Aの発言部分はポーズになっています。

♪181
B only

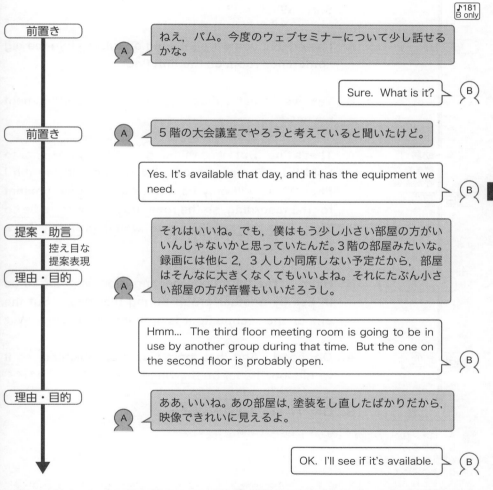

前置き

A ねえ，パム。今度のウェブセミナーについて少し話せるかな。

Sure. What is it? B

前置き

A 5階の大会議室でやろうと考えていると聞いたけど。

Yes. It's available that day, and it has the equipment we need. B

提案・助言
控え目な
提案表現

理由・目的

A それはいいね。でも，僕はもう少し小さい部屋の方がいいんじゃないかと思っていたんだ。3階の部屋みたいな。録画には他に2，3人しか同席しない予定だから，部屋はそんなに大きくなくてもいいよね。それにたぶん小さい部屋の方が音響もいいだろうし。

Hmm... The third floor meeting room is going to be in use by another group during that time. But the one on the second floor is probably open. B

理由・目的

A ああ，いいね。あの部屋は，塗装をし直したばかりだから，映像できれいに見えるよ。

OK. I'll see if it's available. B

7

提案する

❖ Words & Phrases ❖

A ☐ 今度の；近づきつつある upcoming ☐ 録画：レコーディング recording
B ☐ available 空いている；利用できる ☐ equipment 機材

117

解答例を確認しましょう。

♪182 A and B ♪183 A only ♪181 B only

前置き

A: Hi, Pam. Could I talk to you for a moment about **the upcoming web seminar?**

B: Sure. What is it?

前置き

A: I heard that **you were thinking of holding it in the big conference room on the fifth floor.**

B: Yes. It's available that day, and it has the equipment we need.

提案・助言
控え目な
提案表現
理由・目的

A: That's fine. **But** I was thinking that it may be better to hold it in a smaller room, like the one on the third floor. **There will only be a few other people present for the recording, so the room doesn't need to be so big. And the smaller room would probably have better sound.**

応答

B: Hmm... The third floor meeting room is going to be in use by another group during that time. But the one on the second floor is probably open.

理由・目的

A: Oh, good. **And that room was just repainted, so it would look better on the video.**

応答

B: OK. I'll see if it's available.

訳 A：ねえ，パム。今度のウェブセミナーについて少し話せるかな。
B：もちろん。何かしら？
A：5階の大会議室でやろうと考えていると聞いたけど。
B：そうよ。その日空いているし，必要な機材もあるわ。
A：それはいいね。でも，僕はもう少し小さい部屋の方がいいんじゃないかと思っていたんだ。3階の部屋 みたいな。録画には他に2，3人しか同席しない予定だから，部屋はそんなに大きくなくてもいいよね。 それにたぶん小さい部屋の方が音響もいいだろうし。
B：うーん。3階の会議室はその時間帯は，他のグループが使う予定なのよ。でも，おそらく2階の会議室 は空いているわ。
A：ああ，いいね。あの部屋は，塗装をし直したばかりだから，映像できれいに見えるよ。
B：わかった。空いているかどうか確認するわね。

ROLE-PLAYING 3

Task

❶ Aの発言を英語で考えましょう。「提案」に関する表現については，左のフレームと前の部分で学習した表現を参考に表現してみましょう。単語・語句は下の **∵ Words & Phrases ∵** も参考にしてみてください。

❷音声を聞きながらAになりきって発話しましょう。音声ではBの発言のみが流れ，Aの発言部分はポーズになっています。

♪184
B only

 Ａ どうしたの，ジル？

Ｂ I've been trying to think of a new slogan for our summer promotional campaign. But I can't come up with anything.

提案・助言
控え目な
提案表現
理由・目的

Ａ わかる，難しい時もあるよね。僕だったら，マーケティング部のレイコに相談するかな。彼女はキャッチーなスローガンを書くのがすごく得意だよ。

7
提案する

Ｂ I didn't think of that. But hold on a moment. She and her team are at a conference in Shanghai this week. I don't think they will be back until Monday.

申し出

Ａ ああ，そうだった。僕が彼女にメールでそのことを伝えようか？ 今日の午後，別件で彼女のチームの１人に聞かなければならないことがあるんだ。彼女はきっと気にしないと思うよ。

Ｂ Thanks, but that's OK. I'm sure she's busy with the conference, and I wouldn't want to bother her. I'm having lunch with Michael today, so I'll see if he has any ideas.

∵ Words & Phrases ∵

A □ 人気を呼びそうな：キャッチーな　catchy

B □ promotional campaign　宣伝キャンペーン　　□ come up with ～　～を思いつく
　　□ bother　～に面倒をかける：～を煩わせる

119

解答例を確認しましょう。　　　　　　　　♪185 A and B　♪186 A only　♪184 B only

A: What's the matter, Jill?

B: I've been trying to think of a new slogan for our summer promotional campaign. But I can't come up with anything.

提案・助言
控え目な提案表現
理由・目的
応答

A: Yeah, it's difficult sometimes. If I were you, I would talk to Reiko in the marketing department. She's great at writing catchy slogans.

B: I didn't think of that. But hold on a moment. She and her team are at a conference in Shanghai this week. I don't think they will be back until Monday.

申し出

A: Oh, that's right. Why don't you let me e-mail her about it? I have something else to ask one of her teammates this afternoon. I'm sure she wouldn't mind.

応答

B: Thanks, but that's OK. I'm sure she's busy with the conference, and I wouldn't want to bother her. I'm having lunch with Michael today, so I'll see if he has any ideas.

訳　A：どうしたの，ジル？
　　B： 夏の宣伝キャンペーンの新しいスローガンをずっと考えているの。でも何も思いつかなくて。
　　A：わかる，難しい時もあるよね。僕だったら，マーケティング部のレイコに相談するかな。彼女はキャッチーなスローガンを書くのがすごく得意だよ。
　　B：それは思いつかなかった。でもちょっと待って。彼女と彼女のチームは，今週，上海の会合に出席しているわ。月曜までには戻ってこないと思う。
　　A：ああ，そうだった。僕が彼女にメールでそのことを伝えようか？ 今日の午後，別件で彼女のチームの1人に聞かなければならないことがあるんだ。彼女はきっと気にしないと思うよ。
　　B：ありがとう，でもいいわ。きっと会合で忙しいし，面倒をかけたくないから。今日マイケルとランチをするから何かアイディアがないか聞いてみるわ。

Review

ROLE-PLAYING 1：最初に電話の目的を述べ，相手の都合を確認していますね。電話のように相手の状況が見えない場合には，特に注意したいものです。提案の部分では「自分たちは…した方がよい。そうしないとこの商品はヒットしない。」といったニュアンスで had better が用いられています。二人称主語で You had better ... とすると命令的な強い言い方になりますが，この場面ではそのようにとられる心配はないでしょう。根拠をきちんと伝え，相手が受け取りやすい提案・助言になっています。

ROLE-PLAYING 2：場所の変更の提案をするため，唐突にならないよう注意して話を切り出しています。提案部分についても，相手が受け入れやすいよう，控え目で丁寧な表現を用い，その理由を説明しています。

ROLE-PLAYING 3：困っている様子の同僚に声をかけ，問題を解決するための提案・申し出をしています。申し出を断る際は，謝意を示した上で理由を述べ，「せっかく申し出たのに…」という気持ちにさせないような配慮が感じられますね。

Column

なかなか議論がまとまらない会議で苦労されたという経験は誰しもあるのではないかと思いますが，海外の取引先との話し合いでも，互いに妥協点が見い出せず，話が紛糾することはよくあります。そんな会議で「進行役を任されたら？」というのが今回のお話です。このように議論が平行線をたどる場合は，あまり長引かせても意味はないので，進行役は Let's save this for another time.（これについてはまた別の機会にしましょう。）のように提案し，次の議題に話を進めることも必要です。また発言者に対して，What makes you say that?（その根拠は何でしょう。）と問いかけたり，Does anyone have any questions or comments?（何か質問や意見はありませんか。）といった声かけを行ったりすることも，活発な議論を促す上では有効です。なお，長い会議で場の雰囲気が重くなってしまうような場合には，Shall we take a ten-minutes break?（10分休憩しましょうか。）と提案するのもいいかもしれません。そして，会議の最後には Before we close the meeting, let me just summarize the main points.（会議を終了する前に，主なポイントを簡単にまとめたいと思います。）と参加者に提案し，全体の振り返りやアクションアイテムの確認などを行うことも忘れないようにしていきましょう。これらは会議で使える表現のごく一例ですが，主なキーフレーズを覚えておけば，急に進行役を頼まれた際にも慌てずにすむはずです。

8 調整する

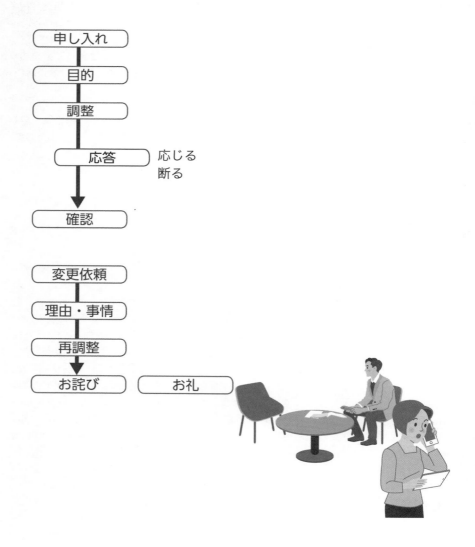

申し入れ

目的

調整

応答　応じる　断る

確認

変更依頼

理由・事情

再調整

お詫び　　お礼

取引先や他部署との打ち合わせの日程調整をする場面の表現を学びます。基本的には，趣旨を伝えて打ち合わせを申し入れ，相手の都合を尊重しつつ日時・場所を決め，確認するという流れになります。変更の必要が生じた場合には，なるべく早めに連絡を入れて再調整すること，理由・事情とお詫びの気持ちを明確に伝えることが大切です。

申し入れ　　目的

打ち合わせをしたい旨を相手に伝える際には，I'd like to set up〔arrange〕a meeting with ～ ／ I'd like to make an appointment with ～ などの表現を用います。その際，**to** 不定詞などを用いて目的を明確に伝えるようにします。

調整

調整の際には，自分の都合優先でなく相手の都合を確認しながら進めます。
都合を確認する際には，**What day would be convenient for you?** のように形容詞 **convenient**〔**good**〕を用いた表現や，**What day suit you best?** のように動詞 **suit** を用いた表現を覚えておくと便利です。
詳細を決める時には，**How about ～? ／ Shall we say ～ o'clock?** というように，相手に提案を行いながら話を進めていくとスムーズです。

応答

相手の提案に対しては応じられるのか否かを明確に伝えましょう。

確認

日程確定後は，認識の相違や勘違いがないように，「では～ですね」といった形で再確認することが大切です。

変更依頼　　理由・事情

変更を要する場合は，早めに相手に連絡し，日程の変更などを相談しましょう。自らの都合で変更を申し入れる場合は，**I'm afraid ... ／ I'm very sorry, but .../ Unfortunately, ...** のような一言を添えてから事情を説明すると丁寧な印象になります。具体的な理由・事情をできるだけ明確に伝えるようにしましょう。

再調整

日付・時間など，何を具体的にどう変更して欲しいのかを相手に示します。

お詫び　　お礼

相手に再調整をお願いする際には，相手に迷惑をかけていることをお詫びするようにします。また，変更に応じてもらった後にはお礼も忘れないようにしましょう。

申し入れ

話している相手に直接申し入れる場合と，電話などで第三者に伝言する場合の表現を確認しましょう。

♪187 日→英 ♪188 QR ♪189 英

□ 来週のどこかで打ち合わせを設定させていただきたいのですが。

I'd like to set up a meeting with **you sometime next week.**

□ プロジェクトミーティングのための約束を取らせていただきたいのですが。

I'd like to make an appointment for **a project meeting.**

□ もし可能でしたら，お会いしてこの件についてお話ししたいのですが。

If possible, I'd like to meet with **you to talk about this issue.**

□ 来週のどこかで打ち合わせを設定することは可能ですか。

Can we arrange a meeting **sometime next week?**

□ 明日の午後に打ち合わせを行うことは可能でしょうか。

Would it be possible to meet with **you tomorrow afternoon?**

□ ルイスさんと面会の約束を取らせていただきたいのですが。

I'd like to make an appointment with **Mr. Lewis.**

□ バーネットさんと面会の約束を取らせていただきたいのですが。

Could I make an appointment with **Mr. Burnett?**

□ 水曜日にジョーンズさんとの面会の設定をお願いしたいのですが。

I'd like you to arrange a meeting with **Mr. Jones on Wednesday.**

フレームに沿って，使える表現をマスターしましょう。音声を活用して，日本語→英語がスムーズに出てくるようになるまで繰り返し声に出して練習しましょう。

目的

「目的は…です」「…するためにお会いしたいです」といった直接的な表現の他，「（お会いして）…したいと思っています」といった間接的な形で表現することもあります。

♪190 日→英 | ♪191 QR | ♪192 英

- [ ] 会議の目的は，新製品のコンセプトについて話し合うことです。

  The purpose of the meeting is to discuss the concept for the new product.

- [ ] 直接お会いして，次期プロジェクトについて話し合いたいと考えています。

  I'd like to meet you face-to-face so that we can talk about the upcoming project.

- [ ] お会いして，弊社の新しいサービスをご紹介したいのですが。

  We'd like to meet with you to explain our new services.

- [ ] 実はこの問題についてのご意見をおうかがいできればと思っているのです。

  Actually I'd be grateful if you could share your thoughts on this problem.

- [ ] 新製品のサンプルデザインをお見せして，ご意見をおうかがいしたいと思っています。

  I'd like to show you the sample design for our new product and hear what you think.

- [ ] お会いして，来月の販売キャンペーンの件で意見交換できないでしょうか。

  Could we get together and exchange opinions on next month's sales campaign?

8
調整する

Tips 丁寧に要望を伝える I'd like to...

I'd like to ... は日常生活でもよく用いられる馴染みのある表現なので，ビジネス英語で使うのはどうなのだろうと思われるかもしれませんが，実はビジネスのさまざまな場面で用いられる便利な表現なのです。I want to ...（…したい）ほど直接的ではなく「もしよろしければ…したいのですが」という仮定法の丁寧なニュアンスを含んでおり，会議や打ち合わせの調整を申し出たり目的を伝えたりする際にも使いこなせるようにしておきたい表現です。何かを報告する場面で，「〜についてお話ししたいと思います」と切り出す際にも使えますね。

調整

日程を調整する場合は相手の都合を尊重しましょう。「いつでしたらご都合がよろしいでしょうか」といった漠然とした問いかけ方や，具体的な日時を挙げながら問いかける表現がありますが，相手との関係性や状況によって使い分けるとよいでしょう。

♪193 日→英　♪194 QR　♪195 英

□ 日時はいつがよろしいでしょうか。

What day and time would be convenient for you?

□ 一番ご都合がよろしいのはいつでしょうか。

What day would suit you best?　／ What day would be best for you?

□ 来週の木曜はお時間ありますか。

Are you free next Thursday? ／ Are you available next Thursday?

□ 月曜午前のご都合は大丈夫ですか。

Can you manage Monday morning?

□ 10時と11時のどちらがよろしいでしょうか。

Would you prefer 10:00 or 11:00?

□ 私は木曜と金曜が空いていますが，どちらがご都合がよろしいですか。

I'll be available on Thursday and Friday.　Which day would you prefer?

□ 来週の月曜はどうですか。

How about next Monday? ／ Does next Monday work for you?

□ 来週火曜の例えば11時はどうですか。

How about next Tuesday, say 11 a.m.?

□ それでは，水曜の午後にしましょうか。

Shall we make it Wednesday afternoon, then?

□ 10時頃に弊社のオフィスにしましょうか。

Shall we say at around 10 a.m. in my office?

♪196 日→英 ♪197 QR ♪198 英

応じる

☐ その日程で構いません。

That's fine with me. ／
That would be fine.

☐ 金曜日で私は大丈夫です。

Friday works for me. ／
Friday suits me.

☐ 水曜でいいですよ。ここで11時に
お会いしましょうか。

Wednesday sounds great. Shall we
meet here at 11 o'clock?

☐ 私はどちらでも構いません。

Either is fine with me.

＊2つの選択肢の都合を聞かれた場合の返答

☐ 金曜の方がいいです。

I prefer Friday. ／
I'd like to meet on Friday.

＊2つの選択肢の都合を聞かれた場合の返答

断る

☐ あいにく金曜は手が離せません。

I'm afraid I'm tied up on Friday.

☐ あいにくその時間は他の予定があ
ります。

I'm afraid I have another appointment
at that time.

☐ あいにく都合がつきません。

Unfortunately, I can't make it.

☐ あいにく金曜は出張が入っていま
す。

Unfortunately, I'm on a business trip
on Friday.

☐ 申し訳ありませんが，水曜は都合
がつきません。

I'm sorry, but I can't manage
Wednesday.

8

調整する

127

確認

♪199 日→英　♪200 QR　♪201 英

□ 月曜日の9時ですね。ではその時にお会いできるのを楽しみにしています。

So, that's **9 o'clock on Monday.** I look forward to seeing you then.

□ 承知しました。では，火曜日の10時に佐藤さんのオフィスでお会いしましょう。

That's great. So, I'll see you at 10:00 on Tuesday at Mr. Sato's office.

□ わかりました。では木曜日の2時にお会いしましょう。

OK, so we'll meet on Thursday at 2 o'clock.

□ では，確認させてください。水曜日の10時ですね。

Let me confirm what we've decided. That's **Wednesday at 10 o'clock.** Is that right?

Tips よくない知らせの前に

日本語でもよくないことを伝える時にはいきなり本題に入るということはなく，「実を言うと…」「残念なことに…」というような前置きをしてから，その悪い知らせを伝えますよね。英語ではストレートに意見や事実を口にするという印象があるかもしれませんが，このようなケースでは，やはり前置きをしてからその事実を述べた方が，相手も心構えをして聞くことができ，伝わり方もよりソフトになります。相手に何か変更を申し入れなければならない時にも，I'm sorry, but … / Unfortunately, … / I'm afraid … といった前置きが，すっと口から出てくるとよいですね。

Tips 「用事ができた」ことを伝える英語表現

相手との約束を変更してもらう必要が生じた場合にはその理由を伝えるのが基本ですが，詳細について話したくない場合には，Something has come up.（用事ができてしまいました。），Something urgent has come up.（急用ができてしまいました。）という表現を用いてすませることもできます。ネイティブの間でもよく使われる表現で，この表現を使えば相手も事情を察してくれ，What has come up?（何が起こったの。）などと尋ねてくることも基本的にはありません。このままの形で暗記しておき，いざという時に使えるようにしておきたいですね。

♪202
日→英　♪203
QR　♪204
英

変更依頼

□ 申し訳ありませんが，今日午後のお約束をキャンセルしなければなりません。

I'm afraid I need to cancel our appointment this afternoon.

□ 申し訳ありませんが，会議の時間に間に合いそうにありません。

I'm sorry, but I'm not going to make it to the meeting on time.

□ 大変申し訳ないのですが，到着が遅れそうです。

I'm really sorry, but it looks like I'm going to arrive late.

□ あいにく，今夜の打ち合わせに出席できません。

Unfortunately, I won't be able to attend the meeting tonight.

理由・事情

□ 仕事でちょうど問題が発生してしまい，今日は行けそうにありません。

Something just came up at work, and I won't be able to make it today.

□ 渋滞に巻き込まれてしまい，時間通りに行けません。

I can't be there on time because I'm stuck in a traffic jam.

□ 電車が遅れているので，約束の時間に間に合いそうにありません。

I won't be able to make it to my appointment on time since my train is late.

□ 大雨のため予定より少し遅れています。10分後には到着したいと思います。

I'm running a bit late because of heavy rain. I hope to be there in about 10 minutes.

8

調整する

♪205 日→英 / ♪206 QR / ♪207 英

再調整

☐ 日にちを変更できませんか。

Can we change the date, please?

☐ 明日の会議を来週のどこかにずらすことは可能ですか。

Is it possible to reschedule tomorrow's meeting to sometime next week?

☐ 代わりに水曜にお会いすることは可能でしょうか。

Would you be able to meet on Wednesday instead?

☐ 代わりに私のオフィスに来ていただけないかと思っているのですが。

I was wondering if you could come to my office instead.

☐ もう少し早い時間にお会いすることは可能でしょうか。

Would it be possible to meet a bit earlier?

お詫び／お礼

約束を履行できないことに対するお詫び，変更に応じてくれたことに対するお礼の一言を添えるのを忘れないようにしましょう。

☐ ご迷惑をおかけして申し訳ありません。

I apologize for the inconvenience.

☐ ご協力ありがとうございました。

Thank you for your cooperation.

＊日程調整を行ってもらったことに対して

☐ 本当にありがとうございました。

I really appreciate it.

☐ お手数をおかけしました。

Sorry for taking up your time.

＊相手に調整などしてもらったことに対して

ROLE-PLAYING 1

$$\boxed{\begin{array}{l} \textbf{Scene} \quad \text{電話で取引先との打ち合わせの日程を調整し} \\ \text{ています。} \end{array}}$$

Task ❶ Aの発言を英語で考えましょう。「調整」に関する表現については，左のフレームと前の部分で学習した表現を参考に表現してみましょう。単語・語句は下の **∴ Words & Phrases ∴** も参考にしてみてください。

❷ 音声を聞きながらAになりきって発話しましょう。音声ではBの発言のみが流れ，Aの発言部分はポーズになっています。

♪208
B only

| 申し入れ |
| 目的 |

A デレクさん，来週のどこかでお会いすることはできますでしょうか。御社がされる予定の我が社のパリ店のリフォームについて，デレクさんとアシスタントの方と3人での打ち合わせを設定したいと思っております。

B Sure, Katie. How is your schedule for next week?

| 応答 |
| 調整 |

A 私は，火曜日は終日，また水曜日の午前中は町から離れて不在にいたしますが，その他の曜日は空いております。水曜日2時のご都合はいかがでしょうか。

B I'm really sorry, but my Wednesday afternoon is booked. If earlier is better for you, then how about Monday?

8
調整する

| 応答 |
| 調整 |

A はい。大丈夫です。何時がよろしいでしょうか？

B Should we say 1:30?

| 応答 |
| 確認 |

A 結構です。では，月曜日の1時半に御社のオフィスにうかがいます。

B Thank you. We'll be waiting for you.

∴ Words & Phrases ∴
A □ 空いている；対応可能な available □ リフォーム；改築 renovation
　　□ 打ち合わせを設定する set up a meeting
B □ be booked (up) （人の）予定がいっぱいである

131

Role-Playing 1

解答例を確認しましょう。

A: **Hi, Derek.** Would you happen to be available **any time next week?** I'd like to set up a meeting with **you and your assistant** about the upcoming renovations that your firm will be doing to our Paris store.

B: Sure, **Katie.** How is your schedule for **next week?**

A: I will be out of town **all day Tuesday and Wednesday morning,** but **the rest of the week** is open. Shall we make it **Wednesday at 2:00?**

B: I'm really sorry, but **my Wednesday afternoon is booked.** If earlier is better for you, then how about **Monday?**

A: Sure, that will work. What time is good for you?

B: Should we say **1:30?**

A: That's fine. **I'll come to your office at 1:30 on Monday then.**

B: Thank you. We'll be waiting for you.

訳 A：デレクさん，来週のどこかでお会いすることはできますでしょうか。御社がされる予定の我が社のパリ店のリフォームについて，デレクさんとアシスタントの方と３人での打ち合わせを設定したいと思っております。

B：もちろんです，ケイティさん。来週のご予定はどんな具合でしょうか。

A：私は，火曜日は終日，また水曜日の午前中は町から離れて不在にいたしますが，その他の曜日は空いております。水曜日２時のご都合はいかがでしょうか。

B：大変申し訳ございません。水曜の午後はふさがっています。早い方がよさそうでしたら，月曜日はいかがでしょう。

A：はい。大丈夫です。何時がよろしいでしょうか？

B：１時半でいかがでしょう。

A：結構です。では，月曜日の１時半に御社のオフィスにうかがいます。

B：ありがとうございます。お待ちしております。

ROLE-PLAYING 2

Task
❶ Aの発言を英語で考えましょう。「調整」に関する表現については，左のフレームと前の部分で学習した表現を参考に表現してみましょう。単語・語句は下の **❖ Words & Phrases ❖** も参考にしてみてください。
❷ 音声を聞きながらAになりきって発話しましょう。音声ではBの発言のみが流れ，Aの発言部分はポーズになっています。

♪211
B only

(B) D&D Interiors, how may I help you?

(A) もしもし，こちらリクター・アパレル社のケイティ・ライトと申します。この電話をデレク・レッドさんのオフィスにつないでいただけますか。

(B) I'm sorry. He's out of the office today. Would you like to leave him a message?

変更依頼
理由・事情
再調整

(A) 月曜日のお約束の時間を変更していただく必要があってお電話しております。1時半のお約束ですが，私の予定に変更があってその時間にお会いできません。レッドさんのご都合がよろしければ，4時半が望ましいのですが。

(B) I'm sorry. Could you repeat that for me, please?

変更依頼

(A) 大丈夫です，約束していた時間を変更したいとだけお伝え願えますか。詳細はレッドさんにメールでお送りいたします。

8
調整する

❖ Words & Phrases ❖

A
- ☐ ~（電話）をつなぐ transfer
- ☐ ~が原因で due to ~
- ☐ （より）望ましい preferable

- ☐ 約束 appointment
- ☐ 会えない unavailable

B
- ☐ how may I help you? ご用件をどうぞ
- ☐ leave ~ a message ~に伝言を残す

解答例を確認しましょう。

B: D&D Interiors, how may I help you?

A: Hello, this is Katie Wright from Richter Apparel. Could you transfer me to Derek Redd's office, please?

B: I'm sorry. He's out of the office today. Would you like to leave him a message?

変更依頼

理由・事情

再調整

A: The reason I'm calling is I need to change the time of our appointment on Monday. We had scheduled for 1:30, but <u>due to a change in my plans</u> I will be unavailable then. If it's OK with him, 4:30 would be preferable.

B: I'm sorry. Could you repeat that for me, please?

変更依頼

A: It's OK. Would you please just tell him I would like to change our appointment time, and then I'll send him an e-mail with the information.

訳 B：D&D インテリア社でございます。ご用件をどうぞ。
A：もしもし，こちらリクター・アパレル社のケイティ・ライトと申します。この電話をデレク・レッドさんのオフィスにつないでいただけますか。
B：申し訳ございませんが，本日レッドは不在にしております。何か伝言を残されますか。
A：月曜日のお約束の時間を変更していただく必要があってお電話しております。1 時半のお約束ですが，私の予定に変更があってその時間にお会いできません。レッドさんのご都合がよろしければ，4 時半が望ましいのですが。
B：申し訳ございませんが，もう一度おっしゃっていただけますか。
A：大丈夫です，約束していた時間を変更したいとだけお伝え願えますか。詳細はレッドさんにメールでお送りいたします。

ROLE-PLAYING 3

Task

❶ Aの発言を英語で考えましょう。「調整」に関する表現については，左のフレームと前の部分で学習した表現を参考に表現してみましょう。単語・語句は下の **∵ Words & Phrases ∵** も参考にしてみてください。

❷ 音声を聞きながらAになりきって発話しましょう。音声ではBの発言のみが流れ，Aの発言部分はポーズになっています。

♪214
B only

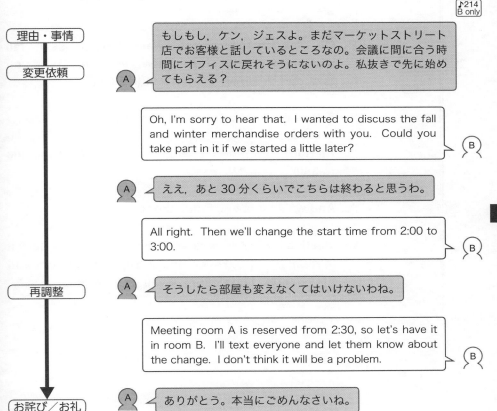

理由・事情

変更依頼

A: もしもし，ケン，ジェスよ。まだマーケットストリート店でお客様と話しているところなの。会議に間に合う時間にオフィスに戻れそうにないのよ。私抜きで先に始めてもらえる？

B: Oh, I'm sorry to hear that. I wanted to discuss the fall and winter merchandise orders with you. Could you take part in it if we started a little later?

A: ええ，あと30分くらいでこちらは終わると思うわ。

B: All right. Then we'll change the start time from 2:00 to 3:00.

再調整

A: そうしたら部屋も変えなくてはいけないわね。

B: Meeting room A is reserved from 2:30, so let's have it in room B. I'll text everyone and let them know about the change. I don't think it will be a problem.

お詫び／お礼

A: ありがとう。本当にごめんなさいね。

8
調整する

∵ Words & Phrases ∵

A □ 時間に間に合う make it　　　　　　□ 先に進む go ahead
B □ merchandise 商品　□ order 注文　□ text （携帯電話で）メールを送る

135

ROLE-PLAYING 3

解答例を確認しましょう。

♪215
A and B
♪216
A only
♪214
B only

A: Hi, Ken, this is Jess. **I'm still talking with the customer at the Market Street store. I'm not going to make it back to the office in time for the meeting.** Could you go ahead and start without me?

B: Oh, I'm sorry to hear that. I wanted to discuss the fall and winter merchandise orders with you. Could you take part in it if **we started a little later?**

A: Sure, I think I'll be done here in about half an hour.

B: All right. Then we'll change the start time from **2:00 to 3:00.**

A: And we'll have to change **the room, too.**

B: Meeting room A is reserved from 2:30, so let's have it in room B. I'll text everyone and let them know about the change. I don't think it will be a problem.

A: Thanks. So sorry about this.

訳 A：もしもし，ケン，ジェスよ。まだマーケットストリート店でお客様と話しているところなの。会議に間に合う時間にオフィスに戻れそうにないのよ。私抜きで先に始めてもらえる？
B：ああ，それは残念だな。秋冬の商品の注文について君と話したかったんだ。開始を少し遅らせれば参加できそう？
A：ええ，あと 30 分くらいでこちらは終わると思うわ。
B：わかった。じゃあ，開始時間を 2 時から 3 時に変更するよ。
A：そうしたら部屋も変えなくてはいけないわね。
B：会議室 A は 2 時 30 分から予約が入っているから会議室 B にしよう。みんなに変更についてメールで知らせておくよ。問題ないと思う。
A：ありがとう。本当にごめんなさいね。

136

Review

ROLE-PLAYING 1：打ち合わせの日程調整をしています。最初に提示した日程では都合が合わず，別案で調整しています。相手の問いに応えながら，自分からも提案したり，より具体的な時間についての問いを投げかけたり，といった形で調整をしています。

ROLE-PLAYING 2：電話で日程変更の依頼をしています。相手が約束をした本人ではない場合は細かい調整が難しいことも多いので，この会話のように詳細はメールで連絡するようにするのもよいでしょう。

ROLE-PLAYING 3：会議に遅れそうだという連絡をしたところ，相手から時間変更の提案があり調整しています。時間とあわせて場所の変更が必要になるのもよくあることですので，流れ・表現を確認しておきましょう。

8
調整する

COLUMN

以前，アメリカの取引先メンバーをアテンドして，海外の工場を案内するという機会がありました。数日間の日程ではありましたが，取引先・海外工場・日本人スタッフという三者の都合を考慮しなければならず，調整に苦労した記憶があります。このような場合，相手の都合を優先することも重要ですが，やみくもに When would be convenient for you?（いつがよろしいですか。）と打診しても，都合がつかない場合には再調整となってしまうので，ある程度目処をつけてから，How about the week beginning Monday, April 6 or 20?（4月6日か20日の週はどうですか。）のように，相手の都合を尋ねるのが効率的です。その場合も，複数の候補日程を提示できるようにしておくと，よりスムーズに調整が進みやすくなります。また海外でも，滞在する場所によっては食事の選択肢などが限られてくることもあるので，いざ食事という段になって困ることがないよう，あらかじめDo you have any dietary requirements?（食事に関するご要望はありますか。）のように，相手の食事制限などは確認しておくと安心です。何かと手間取ることの多い調整ですが，工夫してできるだけ少ないやりとりで相手との調整を行えるようにしておきたいですね。

9 │ 問題点を指摘する

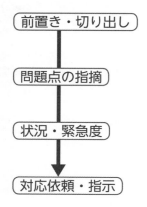

前置き・切り出し

↓

問題点の指摘

状況・緊急度

↓

対応依頼・指示

取引先に苦情を言う，同僚や部下に苦言を呈するなど，相手の問題点を指摘する場面では，感情にまかせて「文句を言う」のではなく，どういった問題があってどういった対応を求めているのかを明確に伝えるようにしましょう。相手がスムーズに対応できるような展開の仕方を工夫したいものです。

苦情を述べる場合は，どういった問題があるか，どういう対応を求めているかなどを明確に伝えます。状況・緊急度を具体的に伝えることで，相手の対応もスムーズになります。基本的な流れとしては，社外・社内のいずれに対しても同様です。

前置き・切り出し

苦情だからといって，**I am complaining about 〜**（〜につき苦情を言っています）と言う必要はありません。社外の人に対しては電話で伝える場合が多いと思いますが，その場合は，**I am calling you with an inquiry regarding 〜.** などの表現を使います。社内の人に対して直接不満を述べたり苦言を呈したりする場合は，**There is something I want to talk to you about.** などと切り出すのがよいでしょう。顧客など他の人からの苦情を担当者に引き継ぐ場合は **〜 told me ...**（〜が言っていました）／ **〜 called me about ...**（〜から…について電話をもらいました）などと伝えます。

問題点の指摘

問題を指摘する場合は，**I'm not satisfied with 〜**（〜に満足していない）という表現が使えます。具体的な問題点を，**wrong**（誤っている），**incorrect**（間違った）などの表現を使って伝えましょう。間違いだと断言したくない場合は **appear to be wrong**（間違っているように思われる）と言うと当たりが柔らかくなります。状況に応じて使い分けましょう。

状況・緊急度

対応を求めるにあたり，指摘した問題のためにどのような影響が出ているのか，その問題が解消されないとどういった事態に陥るのかなどを説明します。相手の理解と対応を引き出すためには，客観的，具体的に説明するのが効果的です。**If ..., we'll have to** *do*（もし…なら，私たちは…せざるを得ない）のような表現を使うのもよいでしょう。

対応依頼・指示

問題を指摘したあとは，相手に対応を促します。高圧的に **You must ...**（あなたは…しなければならない）などと迫るのではなく，「調べてほしい」「対処してほしい」という要望を，**Could you ... ?** ／ **I would like you to ....** などの依頼の表現で伝えるとよいでしょう。（「1　依頼する」（p.13，14）を参照。）また **Could you please let us know how you intend to deal with this?**（これにどのように対処するつもりか教えてくださいませんか。）と相手の意向を聞くのも有効です。

前置き・切り出し

♪217 日→英　♪218 QR　♪219 英

□ 10月1日付けの御社の請求書についておうかがいしたくてお電話しています。

I'm calling you with an inquiry regarding **your invoice dated October 1st.**

□ 最近の印刷の注文についてお電話しています。

I'm calling about **our recent printing order.**

□ カスタマーサービス部門の方と話したいのですが。

Could I speak with **someone in your customer service department?**

□ 今日は，先月納品していただいたプリンターについてお話ししたいと思います。

Today I'd like to talk about **the printers that you delivered last month.**

□ 残念ながら製品の質には満足していません。

I'm afraid we are not satisfied with **the quality of the product.**

□ 残念ながら接続に問題があります。

I'm afraid there's a problem with **the connection.**

□ このようなことを言うのは残念ですが，サービスに満足していません。

I'm sorry to say this, but I'm not happy with **the service we received.**

□ 文句を言いたくはないのですが，また間違った品物が送られてきました。

I don't like to complain, but **we have received the wrong items again.**

☐ あなたにお話ししたかったことがあります。	**There is something I wanted to talk to you about.**
☐ あなたと話し合いたいことがあります。	**I have something I'd like to discuss with you.**
☐ 問題があるようです。	**I think we have a problem.**
☐ すみませんが，ここにいくつか間違いがあるようです。	**Excuse me, but there seem to be a few mistakes here.**
☐ ソフトウェアに関する問題のことでお客様から電話がありました。	**A customer called us about a problem with the software.**
☐ シカゴのクライアントから連絡がありました。	**I just heard from our Chicago client's office.**
☐ テック社からあなたについての苦情のメールがきていました。	**We got a complaint e-mail about you from TEC-Company.**

9

問題点を指摘する

Tips 表現に細心の注意を

苦情を述べる目的は不満をぶつけることではなく，相手に問題を伝え，対応や解決を要請することだということを心に留めておきましょう。望ましい対応を引き出すには，相手にこちらの状況を冷静に受け止め，理解してもらう必要があります。きつい指摘・直接的な表現では逆効果になってしまう場合もありますから注意しましょう。I understand 〜, but ...（〜とわかっていますが…）と相手の状況を理解していることを伝えたり，There seems to be a problem with 〜.（〜に問題があるようです。），It looks like there is a mistake.（間違いがあるようです。）といった間接的な表現を使ったりして，相手の非を責めるのではなく，「困っているので問題の解決に協力してほしい」という態度を示すのが賢明です。

問題点の指摘

請求書, 書類, 製品, 支払いなどに関する問題点の表現の仕方を確認しましょう。「～だと思っていた (が, 結果は違っていた〔期待通りではなかった〕)」という伝え方をすることもあります。

♪220 日→英 ♪221 QR ♪222 英

□ 7月5日付けの請求書の金額が間違っているようです。

The amount on your invoice dated July 5th appears to be wrong.

□ 裏に印刷してある電話番号が間違っています。

The phone number listed on the back is wrong.

□ リストの値段が間違っていると思います。

I'm afraid the prices on the list are incorrect.

□ 製品の一部が損傷していました。

A portion of the goods were damaged.

□ いくつかの製品が不足しています。

Some of the units are missing.

□ いくつかの部品には, 到着時に欠陥がありました。

Some parts were defective when they arrived.

□ コピー機がきちんと作動していません。

The copier is not working properly.

□ 一式分の製品について二重に請求されているようです。

It looks like we have been charged twice for a unit.

□ 技術者は午前中に到着するものと思っていました。

I was expecting the technician to arrive in the morning.

□ 金額が最初に同意したものと違っていました。

The amount was different from what we originally agreed on.

□ あなたの計算に間違いがあると思います。	I think there is an error in your calculation.
□ あなたはお客様に間違ったファイルを送ったようです。	It looks like you've sent the wrong file to the client.
□ 伊藤さんは，また配送が遅かったと言っていました。	Ms. Ito told me that the delivery was late again.
□ それは少々失礼だったと思います。	I think that was a bit impolite.
□ 忙しかったのはわかりますが，この仕事はもっと早く終わると期待していました。	I understand you have been busy, but I expected this to be done more quickly.
□ 佐藤さんはパンフレットをまだ受け取っていないと言っていました。	Mr. Sato mentioned he hadn't received the brochures yet.
□ 彼はプロジェクト開始の遅れを気にしていました。	He was concerned about the delay in starting the project.

Tips 相手の努力を引き出す表現

社内の人に苦言を呈する必要がある場合，相手との関係性や状況によっては強めの表現で注意することもありますが，お互いに気まずい空気にならないようにするには肯定的な言葉を使うことも有効です。You missed the deadline.（期限に遅れましたね。）などと問題を直接的に指摘するのではなく I'd appreciate it if you could turn your reports in on time in the future.（今後は間に合うように報告書を出してもらえるとありがたいです。）のように「改善してもらえたら助かる」と伝えるようにするとよいでしょう。さらに，When someone is running late, it gets the whole team behind.（誰かが遅れると，チーム全体が遅れることになります。）などと，解決されないとどのような状況になるのかを伝えることで，説得力をもって解決の努力を促すことができますね。

状況・緊急度

□ 月曜日までに訂正してもらえない
　なら，店のオープンも延期せざる
　を得ません。

If we don't get these fixed by Monday, we'll have to postpone our grand opening.

□ 支払いの遅れについて苦情を言わ
　なければならないのは3度目です。

This is the third time we have had to complain about late payments.

□ 御社のウェブサイトには100ドル
　を超える注文は送料無料と書いて
　あります。

Your website says delivery is free for orders of more than $100.

□ お客様に見せるために明日，その
　素材が必要でした。

We needed the material tomorrow to show to our client.

□ できるだけ早くデータを復元しな
　ければなりません。

We need to get the data restored as soon as possible.

□ これ以上のミスは許されません。
　すでにお客様から何件か苦情が届
　いているのです。

We can't allow any more mistakes. We have already received complaints from clients.

□ お客様から，至急代替品を送って
　ほしいと要望されています。

The customer requested us to send a replacement item immediately.

□ お客様はその注文品に対する値引
　きを要請しました。

The client requested a discount on the order.

Tips 急ぎの意思を伝える表現

問題が起こっている場合，至急の対応を求めることが多くありますが，問題のレベル，相手との関係を考えた上で表現を選びましょう。immediately（ただちに）は，相手の都合に配慮しない強めの表現です。一方 as soon as you can や as soon as possible には「なるべく」というニュアンスがあります。ただし，曖昧さも含んでいるので，本当に急ぐ場合は by Friday などのように，期日を明確に示すのがよいでしょう。

144

♪226 日→英 | ♪227 QR | ♪228 英

□ 請求書の金額を訂正していただけますか。

Can you correct the amount on the bill?

□ いつ問題が解消されるか教えていただけますか。

Could you let me know when the problem will be fixed?

□ 返金していただけるとありがたいのですが。

I would appreciate it if you could refund our money.

□ 残りの支払いがいつになるか知らせていただけるとありがたいです。

I would appreciate it if you could let me know when the rest of the payment will be made.

□ 来週の水曜日までに連絡していただきたいです。

I would like to hear from you by next Wednesday.

□ 配達を追跡してもらえますか。

Can you track the delivery?

□ それらの未払いの請求書を処理していただけますか。

Could you deal with those outstanding invoices?

□ この件について調べて私に状況を教えてください。

Please look into this and let me know the situation.

□ これにどう対処するつもりか教えていただけますか。

Could you please let us know how you intend to deal with this?

□ 何か対応してもらえますか。

Can you do something about it?

9
問題点を指摘する

145

☐ 彼らの苦情について対処してもらえますか。

Can you follow up on their complaints?

☐ 金曜日までに修正した書類を提出してもらえますか。

Can you submit the revised documents by Friday?

☐ お客様にできるだけ早く返答してもらえますか。

Can you respond to the client as soon as possible?

☐ いつその仕事を終わらせることができるかを彼らに伝えてもらえますか。

Can you tell them when you will able to complete the work?

☐ この問題にどのように対処できるかをお客様に説明してもらえますか。

Can you explain to the customer how you can handle this?

☐ まずは問題を調査してもらいたいのです。

I would like you to investigate the matter first.

☐ 明日の朝一番に，先方に正しいものを送ってください。

Please send them the correct one first thing tomorrow.

☐ 自分のしていることにもっと注意を払いなさい。

Pay more attention to what you are doing.

☐ マークはあなたにできるだけ早くメモを修正してもらいたいと思っています。

Mark wants you to revise the memo as soon as possible.

☐ お客様は商品を新しいものと交換するよう望んでいます。

The customer would like us to exchange the item for a new one.

ROLE-PLAYING 1

Task
❶ Aの発言を英語で考えましょう。「問題点の指摘」に関する表現については，左のフレームと前の部分で学習した表現を参考に表現してみましょう。単語・語句は下の **∴ Words & Phrases ∴** も参考にしてみてください。
❷ 音声を聞きながらAになりきって発話しましょう。音声ではBの発言のみが流れ，Aの発言部分はポーズになっています。

♪229
B only

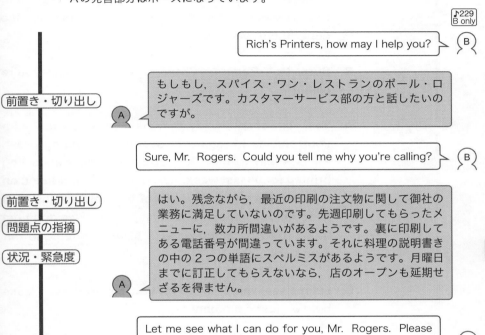

B：Rich's Printers, how may I help you?

前置き・切り出し
A：もしもし，スパイス・ワン・レストランのポール・ロジャーズです。カスタマーサービス部の方と話したいのですが。

B：Sure, Mr. Rogers. Could you tell me why you're calling?

前置き・切り出し
問題点の指摘
状況・緊急度
A：はい。残念ながら，最近の印刷の注文物に関して御社の業務に満足していないのです。先週印刷してもらったメニューに，数カ所間違いがあるようです。裏に印刷してある電話番号が間違っています。それに料理の説明書きの中の2つの単語にスペルミスがあるようです。月曜日までに訂正してもらえないなら，店のオープンも延期せざるを得ません。

B：Let me see what I can do for you, Mr. Rogers. Please hold on just a moment.

9 問題点を指摘する

∴ Words & Phrases ∴
A □ カスタマーサービス部　customer service department
　 □ ～に関して　in regard to ～　□ ～に満足している　be satisfied with ～
　 □ 説明　description　　　　　　□ ～を延期する　postpone

ROLE-PLAYING 1

解答例を確認しましょう。

B: Rich's Printers, how may I help you?

前置き・切り出し

A: Hello, this is Paul Rogers from Spice One Restaurant. Could I speak with someone in your customer service department, please?

B: Sure, Mr. Rogers. Could you tell me why you're calling?

前置き・切り出し

問題点の指摘

状況・緊急度

A: Yes. I'm sorry to say that we're not satisfied with your service in regard to our recent printing order. There seem to be a few errors on the menus you printed for us last week. The phone number listed on the back is wrong. And two of the words in the food descriptions appear to be misspelled. If we don't get these fixed by Monday, we'll have to postpone our grand opening.

B: Let me see what I can do for you, Mr. Rogers. Please hold on just a moment.

訳 B：リッチ・プリンターでございます。ご用件を承ります。
A：もしもし，スパイス・ワン・レストランのポール・ロジャーズです。カスタマーサービス部の方と話したいのですが。
B：かしこまりました，ロジャーズ様。お電話のご用件を教えていただけますか。
A：はい。残念ながら，最近の印刷の注文物に関して御社の業務に満足していないのです。先週印刷してもらったメニューに，数カ所間違いがあるようです。裏に印刷してある電話番号が間違っています。それに料理の説明書きの中の２つの単語にスペルミスがあるようです。月曜日までに訂正してもらえないなら，店のオープンも延期せざるを得ません。
B：ロジャーズ様，できる限り対応いたします。少々お待ちください。

ROLE-PLAYING 2

Scene 取引先に，振り込み状況について問い合わせ
をしています。

Task

❶ Aの発言を英語で考えましょう。「問題点の指摘」に関する表現については，左のフレームと前の部分で学習した表現を参考に表現してみましょう。単語・語句は下の **∵ Words & Phrases ∵** も参考にしてみてください。

❷ 音声を聞きながらAになりきって発話しましょう。音声ではBの発言のみが流れ，Aの発言部分はポーズになっています。

♪232
B only

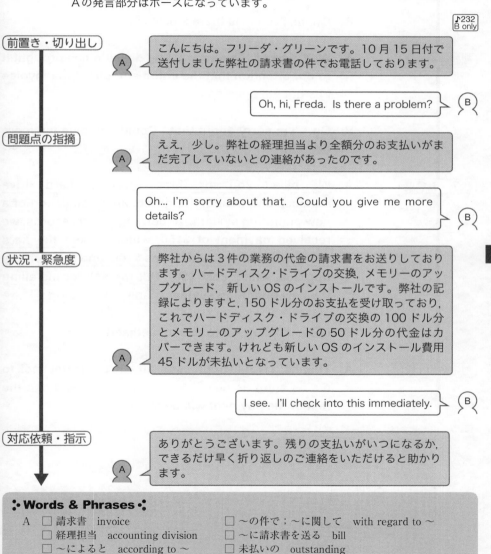

前置き・切り出し

A｜こんにちは。フリーダ・グリーンです。10月15日付で送付しました弊社の請求書の件でお電話しております。

B｜Oh, hi, Freda. Is there a problem?

問題点の指摘

A｜ええ，少し。弊社の経理担当より全額分のお支払いがまだ完了していないとの連絡があったのです。

B｜Oh... I'm sorry about that. Could you give me more details?

状況・緊急度

A｜弊社からは3件の業務の代金の請求書をお送りしております。ハードディスク・ドライブの交換，メモリーのアップグレード，新しいOSのインストールです。弊社の記録によりますと，150ドル分のお支払を受け取っており，これでハードディスク・ドライブの交換の100ドル分とメモリーのアップグレードの50ドル分の代金はカバーできます。けれども新しいOSのインストール費用45ドルが未払いとなっています。

B｜I see. I'll check into this immediately.

対応依頼・指示

A｜ありがとうございます。残りの支払いがいつになるか，できるだけ早く折り返しのご連絡をいただけると助かります。

9
問題点を指摘する

∵ Words & Phrases ∵

A　□ 請求書　invoice
　　□ 経理担当　accounting division
　　□ ～によると　according to ～

□ ～の件で；～に関して　with regard to ～
□ ～に請求書を送る　bill
□ 未払いの　outstanding

149

ROLE-PLAYING 2

解答例を確認しましょう。

♪233 A and B ♪234 A only ♪232 B only

（前置き・切り出し）

A: Hello, this is Freda Green. I'm calling with regard to the invoice we sent you on October 15th.

B: Oh, hi, Freda. Is there a problem?

（問題点の指摘）

A: Well, sort of. Our accounting division has brought it to our attention that the entire amount of the invoice has not yet been paid.

B: Oh… I'm sorry about that. Could you give me more details?

（状況・緊急度）

A: We billed you for three services: hard drive replacement, memory upgrade, and installation of a new operating system. According to our records, we received payment of $150, which covers the hard drive replacement, which was $100, and the memory upgrade, which cost $50. But the $45 for installing the new operating system is still outstanding.

B: I see. I'll check into this immediately.

（対応依頼・指示）

A: Thanks. I would appreciate it if you could get back to me as soon as possible and let me know when the rest of the payment will be made.

訳 A こんにちは。フリーダ・グリーンです。10 月 15 日付で送付しました弊社の請求書の件でお電話しております。

B ああ。フリーダさん，こんにちは。何か問題がありましたか？

A ええ，少し。弊社の経理担当より全額分のお支払いがまだ完了していないとの連絡があったのです。

B それは失礼致しました。詳細を教えていただけますか。

A 弊社からは 3 件の業務の代金の請求書をお送りしております。ハードディスク・ドライブの交換，メモリーのアップグレード，新しい OS のインストールです。弊社の記録によりますと，150 ドル分のお支払を受け取っており，これでハードディスク・ドライブの交換の 100 ドル分とメモリーのアップグレードの 50 ドル分の代金はカバーできます。けれども新しい OS のインストール費用 45 ドルが未払いとなっています。

B わかりました。すぐに確認致します。

A ありがとうございます。残りの支払いがいつになるか，できるだけ早く折り返しのご連絡をいただけると助かります。

ROLE-PLAYING 3

Task
❶ Aの発言を英語で考えましょう。「問題点の指摘」に関する表現については，左のフレームと前の部分で学習した表現を参考に表現してみましょう。単語・語句は下の **∵ Words & Phrases ∵** も参考にしてみてください。
❷ 音声を聞きながらAになりきって発話しましょう。音声ではBの発言のみが流れ，Aの発言部分はポーズになっています。

♪235
B only

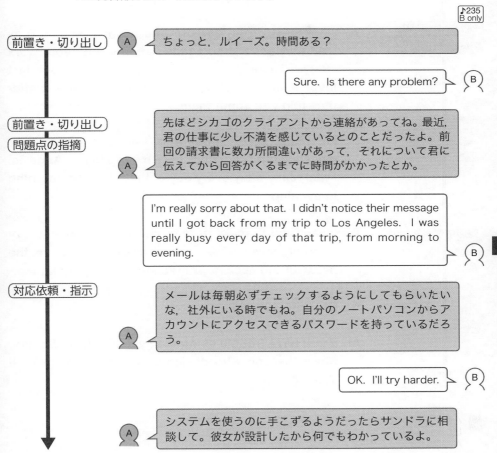

(前置き・切り出し) A　ちょっと，ルイーズ。時間ある？

B　Sure. Is there any problem?

(前置き・切り出し)
(問題点の指摘)
A　先ほどシカゴのクライアントから連絡があってね。最近，君の仕事に少し不満を感じているとのことだったよ。前回の請求書に数カ所間違いがあって，それについて君に伝えてから回答がくるまでに時間がかかったとか。

B　I'm really sorry about that. I didn't notice their message until I got back from my trip to Los Angeles. I was really busy every day of that trip, from morning to evening.

(対応依頼・指示)
A　メールは毎朝必ずチェックするようにしてもらいたいな，社外にいる時でもね。自分のノートパソコンからアカウントにアクセスできるパスワードを持っているだろう。

B　OK. I'll try harder.

A　システムを使うのに手こずるようだったらサンドラに相談して。彼女が設計したから何でもわかっているよ。

9
問題点を指摘する

∵ Words & Phrases ∵
A　□ 回答〔返答〕する　respond　　□ ノートパソコン　laptop　　□ 設計する　design

ROLE-PLAYING 3

解答例を確認しましょう。

♪236 A and B ♪237 A only ♪235 B only

前置き・切り出し

A: Hi, Louise. Do you have a moment?

B: Sure. Is there any problem?

前置き・切り出し
問題点の指摘

A: I just heard from **our Chicago client's office. They** said they have been a little unhappy with **your work lately. There were** several mistakes **on your last invoice, and** it took you a long time to respond **after they told you about them.**

B: I'm really sorry about that. I didn't notice their message until I got back from my trip to Los Angeles. I was really busy every day of that trip, from morning to evening.

対応依頼・指示

A: I want you to make sure **to check your e-mail every morning, even when you're away. You have the password to access your account from your laptop.**

B: OK. I'll try harder.

A: If you have trouble using the system, talk to Sandra. She's the one who designed it and she knows all about it.

訳
A：ちょっと，ルイーズ。時間ある？
B：はい。どうかしましたか？
A：先ほどシカゴのクライアントから連絡があってね。最近，君の仕事に少し不満を感じているとのことだったよ。前回の請求書に数カ所間違いがあって，それについて君に伝えてから回答がくるまでに時間がかかったとか。
B：それについては本当に申し訳ありません。ロサンゼルスへの出張から戻って初めて彼らのメッセージに気がついたんです。出張中は毎日朝から晩まで本当に忙しかったので。
A：メールは毎朝必ずチェックするようにしてもらいたいな，社外にいる時でもね。自分のノートパソコンからアカウントにアクセスできるパスワードを持っているだろう。
B：わかりました。もっと努力します。
A：システムを使うのに手こずるようだったらサンドラに相談して。彼女が設計したから何でもわかっているよ。

152

Review

ROLE-PLAYING 1：we're not satisfied with ～（～に満足していない）という表現で問題を指摘した後，errors（間違い），wrong（誤っている），misspell（～のつづりを誤る）などの表現を使って具体的な問題点を伝えています。If ～, we'll have to *do*...（もし～なら，私たちは…せざるを得ない）という形で解決の必要性を伝え，相手に対応を促しています。

ROLE-PLAYING 2：言葉遣いから普段から取引のある相手と考えられます。問題の概要→詳細の順に伝え，どのような対応をしてほしいかを伝えています。相手との関係性を考慮して，immediately のような強い表現ではなく as soon as possible という言い方をしています。

ROLE-PLAYING 3：部下の業務の問題点を指摘し，今後の対応について指示しています。指示と合わせて，部下の負担を軽減するための情報も与えています。相手を確実に動かすためにはこうした配慮も必要ですね。

COLUMN

以前アメリカで暮らしていた時のこと，ネットで購入した商品の前面に目立つ大きな傷があったので I've received a damaged item, so could you exchange it for a new one?（破損品が届いたので新しい物と交換してもらえませんか。）と電話で苦情を言ったことがあります。もちろん受け取った商品は返送するつもりでいたのですが，返ってきた答えに耳を疑いました。なんと「新しい商品を送るから，今あるのは捨てるか欲しければ持っていていい。（You can throw it away or keep it if you like.）」と言われたのです。日本であれば，普通「不良品は回収させていただきます」となりますよね。

また別の店での話。購入品が届かないので My order was supposed to arrive yesterday, but it still hasn't.（注文品は昨日届くことになっていたが届かない。）と苦情の電話を入れたところ，The owner is on vacation in India. He'll contact you when he returns.（オーナーは休暇でインドに行っているので，帰ったら連絡するよ。）とオーナーの知人らしき人に言われて呆気にとられたこともあります。

やりとりの末に，どちらも良品を受け取ることができたのでよかったのですが，お国変わればいろいろなことが起こり得るものです。トラブルなどはないにこしたことはありませんが，万一の時に困らないよう，「苦情を言う」の基本表現もしっかりマスターしておきたいですね。

9

問題点を指摘する

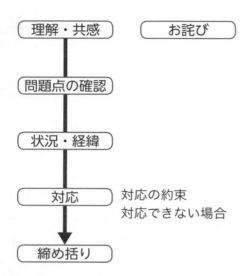

理解・共感 　　　 お詫び

問題点の確認

状況・経緯

対応　　　対応の約束
　　　　　対応できない場合

締め括り

Sorry…

自社の商品・サービスや，自部署・自身の対応に関して何らかの問題点を指摘された場合は，あせったり感情的になったりして，英語で適切に対応するのが難しいと感じるかもしれません。誠実に対応する姿勢をきちんと伝えらえるよう，フレームに沿って謝罪の表現を確認していきましょう。

苦情を受けた場合には，具体的にどのような問題が生じたのかを確認し，丁寧な謝罪と問題が生じた経緯，今後の対応を伝えます。順番や盛り込む要素は，問題を指摘してきた相手や，問題点の内容により変わってきます。

理解・共感 　　　お詫び

まず誠実に受け止める姿勢を示しましょう。自社，自部署，自分の側に非があるのが明らかな場合には，謝罪の言葉を伝えます。社外からの苦情で責任の所在が明らかでないような場合には，理解と共感を表す表現で応じましょう。一般的な表現は I'm sorry to hear that.（それを聞いて心苦しく思います。）です。

問題点の確認

問題に適切に対応するためには，具体的にどのような問題が生じたのか，事実関係・詳細を聞き出す必要があります。相手の説明を聞きながら，問題が起こる頻度など，必要な情報はこちらから質問をして確認しましょう。
Could you please give me the details?（詳細をお教えくださいますか。）

状況・経緯

詳細や事実関係を確認できたら，そうした事態が生じた経緯や原因を説明します。すぐには状況がわからない場合は，これから確認するという意思を伝えましょう。

対応

対応の約束：対応については，自分ができることを**具体的な期日**と共に伝えましょう。他の人の方が適切に対応できるような場合や，回答を出すのに時間がかかる場合は，いったん保留にした上で後日回答することを伝えます。
対応できない場合：何らかの事情で対応できない場合は，**理由**と共に伝えます。全面的に対応できない場合と，「領収書がないので返金できない」のように条件が合わず対応できない場合が考えられますが，いずれの場合でも根拠となる条件や，方針を明確に伝え，理解してもらうように努めましょう。

締め括り

対応を締め括るには，Thank you for bringing this to our attention.（お知らせいただき，ありがとうございました。）と，相手が**連絡をくれたことに対する感謝**を伝えたり，再度お詫びの気持ちを伝えたりします。

理解・共感 ／ お詫び

主に社外からの苦情に対する謝罪を想定した表現と，社内での苦情・苦言への謝罪を想定した表現を取り上げていますが，相手との関係性によっては共通して使える場合もあります。

♪238 日→英　♪239 QR　♪240 英

□ それをうかがい心苦しく思います。

I'm sorry to hear that.

□ このようなことが起きて大変心苦しく思います。

I'm very sorry this happened.

□ このようなことになり大変申し訳ございません。

I am so sorry that you have had this experience.

□ 遅くなってしまい，誠に申し訳ございません。

We're really sorry for the delay.

□ 手続きに大変時間がかかっており申し訳ございません。

I am sorry the process is taking so long.

□ どのような経験をされたかお察しいたします。

I can imagine what you've been through.

□ お気持ちはお察しいたします。

I understand why you feel that way.

□ このようなミスで大変ご不快に思われたことと存じます。

I know a mistake like this can be very frustrating.

□ ご不便をおかけしたことを心よりお詫び申し上げます。

I sincerely apologize for your inconvenience.

□ 不快な経験をさせてしまい，申し訳ございません。

We apologize for your negative experience.

フレームに沿って，使える表現をマスターしましょう。音声を活用して，日本語→英語がスムーズに出てくるようになるまで繰り返し声に出して練習しましょう。

□ これらの間違いによってご不便をおかけしたことをお詫びいたします。

We regret any inconvenience caused by these mistakes.

□ この問題でご不便をおかけしたことを，まず謝罪したいと思います。

I'd like to first apologize for any inconvenience this issue has caused you.

□ その間違いについては申し訳ございません。

I apologize for making that mistake.

□ 締め切りに間に合わず，申し訳ございません。

I apologize for missing the deadline.

□ ファイルを取り違えてしまい，申し訳ありません。

I'm sorry for mixing up the files.

□ 大変申し訳ありません。それは私の責任です。

I'm so sorry. That was my fault.／ I'm really sorry. I'm responsible for that.

10

謝罪する

Tips 相手に寄り添った対応を

取引先やお客様からの苦情で弁償などの責任が問われるような場合，I apologize for this. のような明確な謝罪の表現を使うと，責任を認めたとみなされる可能性があるため，自社に非があることが明らかでないかぎり避けるのがベターです。とはいえ，どんな場合であっても不便を強いられている相手の立場・状況に対して同情・共感は示したいものです。I'm sorry to hear ...（…と聞いて心苦しく思います。）といった同情を表す表現や I can understand your frustration.（ご不満はわかります。），I understand how you must feel.（お気持ちはわかります。）といった共感を示す表現を使い，相手の立場に立って対応しましょう。

問題点の確認

♪241
日→英
♪242
QR
♪243
英

☐ どのようなことが起こったのかを
もう少し詳しく教えていただけま
すか。

**Could you tell me a little more about
what happened?**

☐ どのようなことが起こったのかを
具体的に教えていただけますか。

**Could you tell me exactly what
happened?**

☐ その問題はいつも起きるのでしょ
うか，ごくまれにでしょうか。

**Does it happen all the time or only
occasionally?**

☐ 状況をお客様番号で確認させてく
ださい。

**Let me check the status using your
customer number.**

☐ 詳しく教えていただけますか。

Could you give me the details?

☐ おっしゃっている前払い申請はい
つ提出されましたか。

**When did you submit the request for
an advance that you are talking
about?**

状況・経緯

♪244
日→英
♪245
QR
♪246
英

☐ 恐れ入りますがお客様からの注文
は入っておりません。

**I'm afraid your order has not been
received.**

☐ 誤った情報をお送りしていたこと
がわかりました。

**We have discovered that we sent you
the wrong information.**

☐ 昨日はメンテナンスのためシステ
ムが停止しておりました。

**Our system was down for
maintenance yesterday.**

☐ 私どもの店のスタッフに理解不足があったようです。	There seems to **have been a lack of understanding on the part of our shop staff.**
☐ お客様の注文書の配送先住所が間違っていたため問題が生じていました。	There has been a problem due to **the wrong delivery address in your order.**
☐ 昨日，急ぎの案件が入ってしまったのです。	I got a rush job **yesterday.**
☐ 急を要する事態が発生したのです。	Something urgent came up.
☐ 私の見落としによるものでした。	It was due to **my oversight.**
☐ ファイルを注意深く確認しておくべきでした。	I should have checked **the files carefully.**
☐ 払い戻し請求書を受け取ったのが締め切り後だったためでした。	That was because **we received your reimbursement form after the deadline.**

10

謝罪する

Tips ▶ 理由を説明するのが誠意ある対応

苦情を訴えている相手が社内の知り合いである場合，日本人はあえて「言い訳をしない」で済ませることが多いかもしれませんが，異なる文化で育った人に英語で謝罪をするとなると，状況や理由を具体的に説明した方が理解が得られることもあります。社外・社内にかかわらず問題が起こった理由や経緯を具体的に説明するよう心がけましょう。

対応

対応の約束

どのような対応をするのかを期日とともに示し，必要に応じて迷惑をかけたことに対する埋め合わせ（発送費の負担など）についても言及します。

☐ どのようなことができるか確認させてください。	**Let me see what I can do for you.**
☐ すぐに調べさせていただきます。	**I'll look into this straight away.**
☐ できるだけ早くこの問題を解決するようにいたします。	**We will try to resolve this matter as soon as possible.**
☐ 明日の朝，メールでお返事させていただきます。	**I will e-mail you with an answer tomorrow morning.**
☐ 必ず明日までに，回答をご連絡させていただきます。	**I promise I'll get back to you with an answer by tomorrow.**
☐ お客様の苦情内容を調査して，至急誤りを修正させていただきます。	**We will investigate your complaint and correct any errors immediately.**
☐ 担当者に確認し，折り返し連絡させます。	**I'll check with the person in charge and have him get back to you.**
☐ 上司と相談の上，のちほどご連絡させていただきます。	**Let me speak to my supervisor and contact you later.**
☐ 交換できるか調べてみます。	**I'll see if we can replace it.**
☐ 本日中に正しい商品を発送いたします。	**We will ship the correct items today.**

□ 今回の件に関する費用はすべて弊
社が負担します。

We will cover all the charges related to this matter.

□ 製品がまだ保証期間中であれば，
新しいものと交換致します。

If your unit is still under warranty, we will exchange it for a new one.

□ 5時までに私の担当分の仕事を完了
させます。

I will complete my portion of the work by 5 p.m.

□ 明日の終業までにすべての書類を
修正します。

I will revise all the documents by the end of tomorrow.

□ すぐに，あなたの前払い申請を処
理します。

I will process your request for an advance right away.

対応できない場合

♪250 日→英 ♪251 QR ♪252 英

□ 残念ですが，領収書がないかぎり
は，返金いたしかねます。

I'm afraid we are unable to issue a refund unless you have a receipt.

□ 申し訳ございませんが，通常，セ
ール品に関して返金はしておりま
せん。

I'm afraid we don't generally offer a refund on sale items.

□ あいにく，当社の方針で返金はい
たしかねますが，代替え品をご提
供することはできます。

Unfortunately, our company policies do not allow refunds, but we can offer you a replacement item.

□ 予算不足でその案件に対応できな
いのですが，次年度検討します。

We can't deal with the matter due to our limited budget, but we'll consider it next year.

□ 申し訳ないのですが，予算が厳し
いため人員は増やせないのです。

I'm sorry to say that the budget is so tight that we can't increase the staff.

10
謝罪する

締め括り

締め括りとして問題点の指摘に対するお礼を述べたり，再度お詫びの気持ちを伝えたりします。再発防止の約束をすることも大切です。

♪253 日→英　♪254 QR　♪255 英

☐ お知らせいただき，ありがとうございました。	**Thank you for bringing this to our attention.**
☐ わざわざお電話いただきありがとうございました。	**Thank you for taking the time to call.**
☐ 注文品の間違いについてご連絡いただきありがとうございました。	**Thank you for contacting us regarding the incorrect order.**
☐ ご不便をおかけしましたことを重ねてお詫び申し上げます。	**Once again, I apologize for the inconvenience.**
☐ 大変ご迷惑をおかけして申し訳ありませんが，ご理解のほどお願い申し上げます。	**I apologize for having put you to so much trouble, and I appreciate your understanding.**
☐ 懸念点がありましたら，またいつでもご連絡ください。	**If you have any concerns, please contact us again anytime.**
☐ このような間違いが二度と起こらないようにくれぐれも注意します。	**We will do everything possible to make sure this type of error does not happen again.**
☐ 二度とこのようなことが起きないことをお約束致します。	**I promise it won't happen again.**
☐ このような間違いを二度としないように対策を取ります。	**I'll take steps to make sure I never make that kind of error again.**
☐ 今後は，遅れについてもっとこまめに報告するようにします。	**I'll keep you more informed of delays in the future.**

ROLE-PLAYING 1

Task

❶ Aの発言を英語で考えましょう。「謝罪」に関する表現については，左のフレームと前の部分で学習した表現を参考に表現してみましょう。単語・語句は下の **∴ Words & Phrases ∴** も参考にしてみてください。

❷ 音声を聞きながらAになりきって発話しましょう。音声ではBの発言のみが流れ，Aの発言部分はポーズになっています。

♪256
B only

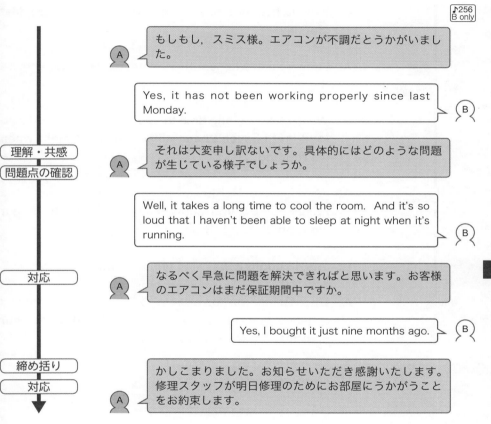

A もしもし，スミス様。エアコンが不調だとうかがいました。

B Yes, it has not been working properly since last Monday.

理解・共感
問題点の確認

A それは大変申し訳ないです。具体的にはどのような問題が生じている様子でしょうか。

B Well, it takes a long time to cool the room. And it's so loud that I haven't been able to sleep at night when it's running.

対応

A なるべく早急に問題を解決できればと思います。お客様のエアコンはまだ保証期間中ですか。

B Yes, I bought it just nine months ago.

締め括り
対応

A かしこまりました。お知らせいただき感謝いたします。修理スタッフが明日修理のためにお部屋にうかがうことをお約束します。

10 謝罪する

∴ Words & Phrases ∴

A □ 適切に；きちんと　properly
　　□ （より詳しい情報を求めて）正確には；具体的には　exactly
　　□ ～（問題）を解決する　fix　　□ 保証期間中で　under warranty
　　□ 修理スタッフ　repair staff

ROLE-PLAYING 1

解答例を確認しましょう。

A and B | A only | B only

理解・共感
問題点の確認

対応

締め括り
対応

A: Hello Ms. Smith. I've been told that your air conditioner is not working properly.

B: Yes, it has not been working properly since last Monday.

A: I'm very sorry to hear that. What exactly seems to be the problem?

B: Well, it takes a long time to cool the room. And it's so loud that I haven't been able to sleep at night when it's running.

A: We'd like to fix this problem for you as soon as possible. Do you know if your unit is still under warranty?

B: Yes, I bought it just nine months ago.

A: OK. Thank you for bringing this to our attention. I promise that one of our repair staff will be at your apartment to take care of it tomorrow.

訳　A：もしもし，スミス様。エアコンが不調だとうかがいました。
B：そうなんです，先週の月曜日から調子が悪いんです。
A：それは大変申し訳ないです。具体的にはどのような問題が生じている様子でしょうか。
B：ええと，部屋を涼しくするのにとても時間がかかるんです。それに音もうるさくて，夜運転している時は眠れない状態です。
A：なるべく早急に問題を解決できればと思います。お客様のエアコンはまだ保証期間中ですか。
B：ええ，9 カ月前に購入したばかりですから。
A：かしこまりました。お知らせいただき感謝いたします。修理スタッフが明日修理のためにお部屋にうかがうことをお約束します。

ROLE-PLAYING 2

Task

❶ Aの発言を英語で考えましょう。「謝罪」に関する表現については，左のフレームと前の部分で学習した表現を参考に表現してみましょう。単語・語句は下の **∴ Words & Phrases ∴** も参考にしてみてください。

❷ 音声を聞きながらAになりきって発話しましょう。音声ではBの発言のみが流れ，Aの発言部分はポーズになっています。

♪259
B only

A　もしもし。ジャクソン様でしょうか。ポート・ワン・インポート社カスタマーサービス部のリサ・フィッチムです。ガラス瓶の発送の遅れについてお電話しております。今お時間大丈夫でしょうか。

B　Sure, go ahead.

状況・経緯

お詫び

A　本件について調査致しましたところ，運転手が発送予定日にお客様のお荷物をトラックに載せていなかったことがわかりました。そのためお荷物が翌日の配達物に入れられてしまいました。ご迷惑をおかけしましたことを，心よりお詫び申し上げます。

B　I see... Perhaps the driver should have checked before he left.

10 謝罪する

状況・経緯

対応

A　おっしゃる通りです。通常は徹底したチェックを行っているのですが，その日はシステムがメンテナンスのため停止しておりました。このような間違いが再発しないよう，積み込みとスケジューリングの手順の入念な見直しを始めております。お詫びとして送料は返金させていただきます。

B　Thank you. I appreciate that.

∴ Words & Phrases ∴

A　□ 発送　shipment
　　□ 謝る　apologize
　　□ ～を確かにする　ensure
　　□ ～を調査する　look into ～
　　□ 迷惑；不都合　inconvenience
　　□ ～を払い戻す；～を返金する　refund

165

解答例を確認しましょう。

♪260 A and B ♪261 A only ♪259 B only

A: Hello, Mr. Jackson? This is Lisa Fitchim from the Customer Service Department at Port One Imports. I'm calling you regarding the delay in your shipment of glass vases. Do you have a moment?

B: Sure, go ahead.

状況・経緯

A: We have looked into the matter and discovered that the driver did not load your package onto his truck on the scheduled delivery date. That is why your package was included in the following day's deliveries. We sincerely apologize for the inconvenience.

お詫び

B: I see... Perhaps the driver should have checked before he left.

状況・経緯

A: You're right. Usually we conduct a thorough check, but on that day our system was down for maintenance. We have begun a careful review of our loading and scheduling processes to ensure that this type of error does not happen again. As a token of our apology, we will refund the shipping cost.

対応

B: Thank you. I appreciate that.

訳
A：もしもし。ジャクソン様でしょうか。ポート・ワン・インポート社カスタマーサービス部のリサ・フィッチムです。ガラス瓶の発送の遅れについてお電話しております。今お時間大丈夫でしょうか。
B：はい。続けてください。
A：本件について調査致しましたところ、運転手が発送予定日にお客様のお荷物をトラックに載せていなかったことがわかりました。そのためお荷物が翌日の配達物に入れられてしまいました。ご迷惑をおかけしましたことを、心よりお詫び申し上げます。
B：わかりました。おそらく運転手の方は出発前に確認をすべきでしたね。
A：おっしゃる通りです。通常は徹底したチェックを行っているのですが、その日はシステムがメンテナンスのため停止しておりました。このような間違いが再発しないよう、積み込みとスケジューリングの手順の入念な見直しを始めております。お詫びとして、送料を返金させていただきます。
B：ありがとう。感謝します。

ROLE-PLAYING 3

Task

❶ Aの発言を英語で考えましょう。「謝罪」に関する表現については，左のフレームと前の部分で学習した表現を参考に表現してみましょう。単語・語句は下の ❖ **Words & Phrases** ❖ も参考にしてみてください。

❷音声を聞きながらAになりきって発話しましょう。音声ではBの発言のみが流れ，Aの発言部分はポーズになっています。

♪262
B only

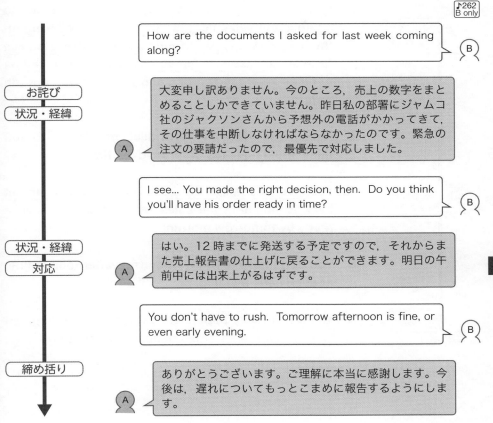

How are the documents I asked for last week coming along? B

お詫び
状況・経緯

A 大変申し訳ありません。今のところ，売上の数字をまとめることしかできていません。昨日私の部署にジャムコ社のジャクソンさんから予想外の電話がかかってきて，その仕事を中断しなければならなかったのです。緊急の注文の要請だったので，最優先で対応しました。

I see... You made the right decision, then. Do you think you'll have his order ready in time? B

状況・経緯
対応

A はい。12時までに発送する予定ですので，それからまた売上報告書の仕上げに戻ることができます。明日の午前中には出来上がるはずです。

You don't have to rush. Tomorrow afternoon is fine, or even early evening. B

締め括り

A ありがとうございます。ご理解に本当に感謝します。今後は，遅れについてもっとこまめに報告するようにします。

10
謝罪する

❖ **Words & Phrases** ❖
A □（資料などを）収集する；編集する compile　　□ 緊急の注文 emergency order
　□ 最優先 top priority
B □ come along 進む；はかどる　　　　　　　□ rush 大急ぎでする

Role-Playing 3

解答例を確認しましょう。

♪263 A and B　♪264 A only　♪262 B only

お詫び
状況・経緯

状況・経緯
対応

締め括り

B: How are the documents I asked for last week coming along?

A: I'm really sorry. So far, I've only had a chance to compile the sales figures. I had to stop working on them because my department got an unexpected call from Mr. Jackson at Jumco yesterday. He asked us to fill an emergency order, and we made that our top priority.

B: I see... You made the right decision, then. Do you think you'll have his order ready in time?

A: Yes. We'll send that out by noon, and then I can get back to finishing the sales report. I should have it ready by tomorrow morning.

B: You don't have to rush. Tomorrow afternoon is fine, or even early evening.

A: Thanks. I really appreciate your understanding. I'll keep you more informed of delays in the future.

訳 B：先週頼んだ書類はどうなっていますか？
A：大変申し訳ありません。今のところ，売上の数字をまとめることしかできていません。昨日私の部署にジャムコ社のジャクソンさんから予想外の電話がかかってきて，その仕事を中断しなければならなかったのです。緊急の注文の要請だったので，最優先で対応しました。
B：なるほど…。それであれば，正しい判断でしたね。その注文は間に合うように準備できそうですか。
A：はい。12時までに発送する予定ですので，それからまた売上報告書の仕上げに戻ることができます。明日の午前中には出来上がるはずです。
B：急がなくてもいいですよ。明日の午後で結構です，早めの夕方でも。
A：ありがとうございます。ご理解に本当に感謝します。今後は，遅れについてもっとこまめに報告するようにします。

Review

ROLE-PLAYING 1：商品の不具合を訴えるお客様に対して，まず同情・共感の気持ちを伝えた上で，適切に対応するために詳細な状況を確認しています。最後に直近の対応の約束を伝え，連絡をくれたことに感謝するという，典型的な流れになっていますので，繰り返し練習し，表現を口になじませておきましょう。

ROLE-PLAYING 2：商品の発送について苦情を寄せたお客様への一次対応は終わっており，状況を確認して折り返しの電話をしている状況ですので，発話内容は状況・経緯の説明が中心となっています。再発防止のための作業内容の見直しと，お客様への直接的な埋め合わせとしての送料の返金は，対応としてはよくあるパターンですので，きちんと説明できるようにしておきましょう。

ROLE-PLAYING 3：頼まれていた仕事が遅れていることを謝罪し，遅れの原因を説明しています。状況と今後の見込みをきちんと説明することで相手の理解を得ることができていますね。最後に，今後は相手を心配させることがないよう報告することを約束しています。

COLUMN

アメリカの銀行員の態度に驚いた経験があります。

銀行口座の残金を確認した際，入金したはずの数千ドルが，口座に入っていないことに気づきました。入金したことが確認できるレシートを持って銀行に行くと，「大変申し訳ございません。こちらのミスでございます。すぐに訂正致します。」などという丁寧な応対からは程遠く，「ホントだ。確かにあなた入金してるけど，口座には入ってないわね。おかしいわね。私の責任じゃないけど，確認するから待ってて。(Yeah. Indeed, you put the money in your savings account, but it's not there. That's weird. It's not my fault, but I'll check it out. Just a moment.)」と軽い感じ。しばらくして「はい，ちゃんと口座に入れておいたから，これで OK ね。」でおしまい。最後まで謝ることはありませんでした。

「アメリカ人はめったに謝らない」と聞いてはいたものの，この場合は当然謝罪の言葉があるだろうと思っていたので，謝らないことに驚き，さらに It's not my fault.（私の責任ではない）という言葉に耳を疑いました。「ミスは仕方ないとしても，あの態度はあり得ない」と，しばらく怒りが収まりませんでしたが，落ち着いて考えると，そういうものだと思うしかなさそうです。日本のようにすぐに「申し訳ございません」と謝る国ばかりではありません。また，日本ではたとえ自分のミスではなくても「我が社のミス」と考えますが，自分の仕事と人の仕事を明確に線引きしている国は多いようです。このような文化の違いを知っておくと，余計なストレスを抱えずにすむかもしれませんね。

11 ほめる

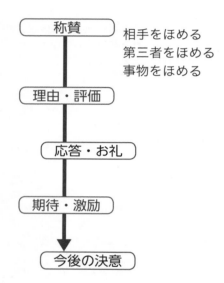

称賛 — 相手をほめる
第三者をほめる
事物をほめる

理由・評価

応答・お礼

期待・激励

今後の決意

同僚や部下へのポジティブな声かけは，職場の雰囲気をよくし，仕事をよりスムーズに進めるために欠かせないものです。相手のよいところを見つけた時にほめる表現や，相手の努力に感謝する表現が，すぐに口から出てくるようにしておきましょう。あわせて，ほめられた時の返答の仕方も確認しておきましょう。

称賛

ビジネスの場で何か報告を受けた場合や頑張りに気づいた場合は，**You've been doing well.**（よく頑張っているね。）といった声掛けをすることで，相手に「自分は認められている」という満足感を与え，もっと頑張ろうというモチベーションアップにもつながっていきます。**You have no equal.**（君の右に出る人はいないよ。）といった特別感を与える表現を用いることも，部下のやる気を鼓舞する上では効果的です。ほめる度合いなどに応じて，適切な表現を使いこなせるようにしておきましょう。

理由・評価

相手をほめる際に，**You've done very well.**（とても素晴らしかったよ。）だけで終わらせてしまうと，相手は「お世辞かな」と受け止める可能性もあり，せっかくの称賛が十分には伝わらない可能性があります。「努力・頑張り」「企画力」「〇〇での活躍」など，**具体的にどの部分を評価しているのか**という理由や評価の詳細をセットで伝えるということもポイントです。

応答・お礼

相手から何かをほめてもらった時に，日本では「そんなことはありません。」と謙遜する文化がありますが，欧米では，せっかくほめているのにそのような態度をとられると「ネガティブな人だ」などと受け止められるおそれもあります。そんなマイナス評価を受けないよう，相手からほめられた時には，「ありがとうございます。」「そう言ってもらえて嬉しいです。」などの**ポジティブな表現**を用いて素直に喜びや感謝の気持ちを表すことが大切です。

期待・激励

頑張ってくれた相手に対しては，**Keep up the good work!**（その調子で頑張って。）のように，激励やさらなる期待の言葉をかけるということも忘れないようにしましょう。これにより，ほめられた相手も達成感を感じることができ，結果として個人の成功体験が組織全体にもよい影響を及ぼすことが期待できます。

今後の決意

相手から期待・激励の言葉などをかけられた時は，「ありがとうございます，そう言っていただけて嬉しいです。」といった言葉を返し，加えて，今後の決意や仕事に対する意欲を示すということも重要です。その際，「必ず実現させます」「絶対終わらせます」「お任せください」のような力強い表現を使うようにし，相手に対して「頼れる人材だ」ということをアピールできるようにしていきましょう。

称賛

相手をほめる

□ よくやったぞ，トム。
You did a good job, Tom.

□ 君の仕事ぶりにはかなわないよ。
I'm no match for you in the way you work.

□ プログラミング能力では君にかなう人はいないよ。
There's no match for you in programming skill.

□ 君の右に出るものはいないよ。
You have no equal.

□ 最近，すばらしい仕事ぶりですね。
You've been doing a great job recently.

□ よく頑張っているね。
You're working hard.

□ よく頑張ったね。
You've done very well.

□ よくやっているね。
You're doing fine.

□ 君を誇りに思うよ。
I'm proud of you.

□ 昇進おめでとう。
Congratulations on your promotion.

□ 一生懸命頑張ってくれてありがとう。
I appreciate your hard work.

□ 君がこのプロジェクトの指揮をとり，成功させてくれたことに感謝しています。
I'm grateful to you for taking the lead on this project and making it successful.

☐ プロジェクトに素晴らしい貢献をしてくれたことに感謝しています。	**I'm grateful for your outstanding contribution to the project.**

第三者をほめる

☐ 彼らはよく頑張っているね。	**They're doing a great job.**
☐ 彼は努力家だね。	**He's such a hard worker.**
☐ イベントでの彼女のリーダーシップは目を見張るものがあったよ。	**Her leadership at the event was remarkable.**

事物をほめる

☐ それはいいね。	**That's really nice. / That's great.**
☐ それは素晴らしい。	**That's excellent! / That's wonderful! / That's amazing!**
☐ なんていい案なんだ。	**What a good idea!**

11

ほめる

Tips appreciate の使い分け

appreciate（〜をありがたく思う；〜に感謝する）は，何かをしてもらったことに対する感謝を表すことも，これからしてもらうことへの感謝（→要するに「依頼」）を表すこともできます。
I appreciate your advice.（アドバイスに感謝いたします。）
→すでにアドバイスしてもらったことに対する感謝を述べる表現です。
I would appreciate it if you could give me some advice.
（アドバイスを頂戴できるとありがたく存じます）
→これからアドバイスをもらえたらありがたいという依頼を述べている表現です。
I would appreciate it if you could〔would〕... の形で「人が…することをありがたく思う」という意味を表します。仮定法を用いることにより婉曲的な言い回しとなり，丁寧に依頼する際に適した表現となります。

Tips 服装・持ち物をほめる～オフィスでのコミュニケーションを円滑に～

オフィスでの話というのは,仕事の話だけに限りません。時に相手の服装や持ち物に関心を示して,会話を投げかけてみるというのも,ビジネスの場の堅い雰囲気を和らげ,相手との交流を深める上では効果的です。相手の服装や持ち物が素敵だなと思った際に使える表現を確認しておきましょう。相手を主語にした表現（You look ～ など），自分を主語にした表現（I like ～ など），物を主語にした表現,感嘆文などが使えます。

相手を主語にした表現
You look so great today!（今日はとても素敵ね！）
You have good taste.（センスがいいよね。）
You look great in that suit.（そのスーツお似合いですね。）
You're looking exceptionally beautiful today.（今日は一段と綺麗ですね。）
You always look stylish.（いつもおしゃれですよね。）
自分を主語にした表現
I love your bag. Where did you get it?（あなたのバッグ素敵ね。どこで買ったの？）
I really like your hair.（その髪型すごくいいね。）
物を主語にした表現
That's such a pretty scarf. That color is perfect on you.
（すごく可愛いスカーフね。あなたにぴったりの色だわ。）
Those shoes look great on you.（その靴似合ってますね。）
感嘆文
What a cool cell phone! I've never seen one like this before.
（携帯電話カッコいいですね！こんなの見たことないです。）
What a lovely dress! Where did you get it?（素敵な洋服ね！どこで買ったの？）

相手に何かほめられたら,お礼を言うだけではなく,プラスαの情報を付け加えたり,何か相手のよいところも見つけて「あなたも素敵！」といった気の利いた一言をかけたりするというのもポイントです。
Thank you. I just got this the other day.（ありがとう,先日買ったばかりなの。）
You look nice today, too!（今日のあなたも素敵よ！）

♪268 日→英　♪269 QR　♪270 英

□ 上層部も君の企画力には感心していたよ。	The top management was also impressed with your planning ability.
□ 従業員の誰もがマイケルの優れた仕事ぶりを尊敬しています。	All the other employees respect Michael for his outstanding work.
□ 君の勤勉さは目を見張るものがあるよ。	Your diligence is remarkable.
□ ビルはなすことすべてにおいて有能だ。彼がチームの一員であることを誇りに思うよ。	Bill is efficient in everything he does. I'm proud of having him on our team.
□ プロジェクトの成功はあなたの努力によるところが大きいと感じています。	I believe the success of the project was largely the result of your efforts.
□ 君は会社にとってかけがえのない存在だよ。	You're an invaluable member of the company.
□ 彼は会社の成功になくてはならない存在です。	He plays a crucial role in our company's success.
□ みんなから，あのプロジェクトでの君の活躍は素晴らしかったと聞いているよ。	Everyone tells me you really did a fantastic job on that project.
□ 君の力無くしてはそれを成し得なかったと言っても過言ではないよ。	It's not too much to say that we couldn't have done it without you.

11

ほめる

175

応答・お礼

□ おほめの言葉をありがとうございます。みんなに感謝しています。

Thank you for the praise. I'm grateful to **everyone**.

□ ありがとうございます。おほめにあずかり光栄です。

Thank you so much. I appreciate the compliment.

□ ありがとう。そう聞いて嬉しいです。

Thanks. That's nice to hear.

□ おほめにあずかりまして光栄です。

I'm flattered to hear that.

□ ありがとうございます。光栄です。

Thank you. I'm flattered.

□ それはほめすぎです。

I am very much flattered.

□ あなたの助言がなければできなかったでしょう。

Without **your help**, I couldn't have done **it**.

□ 彼の助けのおかげでうまくいきました。

I **owe my success** to **his help**.

□ すべてチームのみんなのおかげです。

It's all thanks to **everyone on my team**.

□ みなさんのおかげで，先週のイベントは大成功に終わりました。

Thanks to **all of you, last week's event was a great success**.

□ この素晴らしいチームと共に仕事をする機会を得られたことをありがたく思っています。	**I'm thankful to have been given the opportunity to work with this amazing team.**
□ 一緒に仕事した素晴らしいチームのメンバーには心から感謝しています。	**I'm truly thankful for the great team of people I worked with.**

♪274 日→英　♪275 QR　♪276 英

□ その調子で頑張って。	**Keep up the good work!**
□ 君の働きには感謝するよ。この調子でね。	**Thank you for your hard work. Keep it up!**
□ これからもいい仕事をしてください。	**Carry on the good work.**
□ これからもチームのために素晴らしい仕事を続けてください。	**Please continue doing a great job for our team.**
□ あなたならきっと大活躍してくれるはずです。そう信じています。	**I'm sure you'll do a great job! I believe in you.**
□ 彼ならいい結果を出してくれるだろう。	**I'm sure he'll do well.**
□ 心配いらないよ。君たちならできるよ。頑張って。	**There's nothing to worry about. I'm sure you can do it. Good luck!**

11

ほめる

今後の決意

♪277 日→英　♪278 QR　♪279 英

□ お任せください。必ず実現させます。

Leave it to me. I'll make it happen.

□ 納期に間に合うよう，全力を尽くします。

I'll do everything I can to **meet the deadline.**

□ 目標達成のためなら必要なことは何でもやります。

I'll do whatever it takes to **achieve our goals.**

□ 彼らに満足してもらえるサービスを提供する自信があります。

I'm confident I can **offer them a satisfactory service.**

□ ご心配なく。私にお任せください。

Don't worry. I'll take care of it.

□ きっと終わらせます。お約束します。

I'll get it done. You have my word.

□ いつでも頼ってください。がっかりはさせません。

You can always count on me. I won't let you down.

Tips 「頑張ります」を適切に表現しよう

日本語で「最善を尽くします」というと do my best を思い浮かべる人が多いかもしれませんが，do my best には「努力はするが，その結果どうなるかはわからない」といったニュアンスがあり，「必ず実現させます」というつもりで I'll do my best. を使うと相手に少し不安を与えてしまうかもしれません。「自信がないけれどもやれるだけやってみます」と敢えて表現したい場合には I'll do my best. を使うことができますが，強い意志をもって「やり遂げる」ことを伝える時には，もう少し力強い表現である I'll make it happen. ／ I'll get it done. （絶対終わらせます。）や I won't let you down. （がっかりはさせません），I'm committed to fulfilling our goal. （我々の目標達成に全力で取り組みます。）などを用いると相手に安心感を与えることができます。状況に応じて，頑張る気持ちを適切に表せるようにしておきましょう。

ROLE-PLAYING 1

Task　❶ Aの発言を英語で考えましょう。「ほめる」に関する表現については，左のフレームと前の部分で学習した表現を参考に表現してみましょう。単語・語句は下の **∴ Words & Phrases ∴** も参考にしてみてください。

❷ 音声を聞きながらAになりきって発話しましょう。音声ではBの発言のみが流れ，Aの発言部分はポーズになっています。

♪280
B only

> **B**: Hey, Michael! I just wanted to let you know that we got the contract with Renown Publishing.

称賛

> **A**: おお！それは素晴らしいニュースだ。大興奮でしょう。

> **B**: Thanks. And we couldn't have done it without your advice.

理由・評価

> **A**: いや，そんなことはないよ。君の誠実さと粘り強さがあったから実現できたんだよ。それと，君が準備したデータはとても説得力があった。みんな君の仕事にとても感心していたよ。

> **B**: That's very kind of you. I'm fortunate to have a great staff working with me.

期待・激励

> **A**: ピーターズバーグ・エデュケイショナルとの新しい契約にも取り組んでいるんだってね。きっと，同じように成功するよ。

> **B**: Thanks. I'm committed to winning that account, too.

11
ほめる

∴ Words & Phrases ∴

A　□ 興奮した；わくわくした　thrilled　　□ 誠実さ　sincerity
　　□ 粘り強さ　persistence　　　　　　　□ 説得力がある　persuasive
　　□ 感心して　be impressed
B　□ contract　契約　　　　　　　　　　 □ account　顧客

179

ROLE-PLAYING 1

解答例を確認しましょう。

A and B | ♪282 A only | ♪280 B only

B: Hey, Michael! I just wanted to let you know that we got the contract with Renown Publishing.

称賛

A: Wow! That's wonderful news. You must be thrilled.

応答・お礼

B: Thanks. And we couldn't have done it without your advice.

理由・評価

A: Oh, not at all. <u>Your sincerity and your persistence are what made it possible. Plus, the data that you prepared was very</u> persuasive. Everyone was very impressed with your work.

応答・お礼

B: That's very kind of you. I'm fortunate to have a great staff working with me.

期待・激励

A: I heard that you're also working on a new contract with Petersburg Educational. I'm sure you'll have the same success with them as well.

今後の決意

B: Thanks. I'm committed to winning that account, too.

訳 B：ねえ，マイケル！レナウン出版との契約が取れたのを知らせたくて！
A：おお！それは素晴らしいニュースだ。大興奮でしょう。
B：ありがとう。あなたの助言がなかったら，取れなかったわ。
A：いや，そんなことはないよ。君の誠実さと粘り強さがあったから実現できたんだよ。それと，君が準備したデータはとても説得力があった。みんな君の仕事にとても感心していたよ。
B：それはありがとう。私は一緒に仕事をしてくれる素晴らしいスタッフに恵まれて幸運だわ。
A：ピーターズバーグ・エデュケイショナルとの新しい契約にも取り組んでいるんだってね。きっと，同じように成功するよ。
B：ありがとう。そのお客様も獲得できるよう全力で取り組むわ。

ROLE-PLAYING 2

Task

❶ Aの発言を英語で考えましょう。「ほめる」に関する表現については，左のフレームと前の部分で学習した表現を参考に表現してみましょう。単語・語句は下の **∴ Words & Phrases ∴** も参考にしてみてください。

❷ 音声を聞きながらAになりきって発話しましょう。音声ではBの発言のみが流れ，Aの発言部分はポーズになっています。

♪283
B only

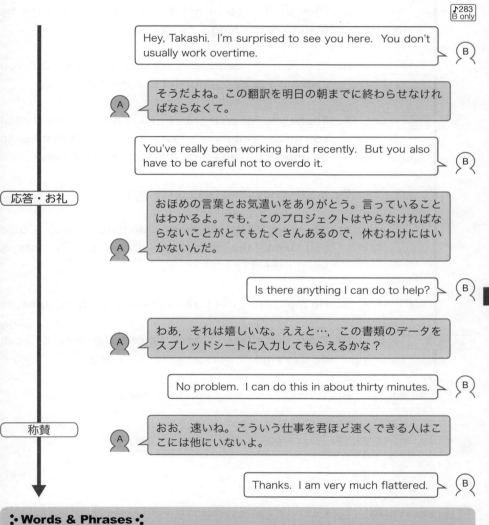

B Hey, Takashi. I'm surprised to see you here. You don't usually work overtime.

A そうだよね。この翻訳を明日の朝までに終わらせなければならなくて。

B You've really been working hard recently. But you also have to be careful not to overdo it.

応答・お礼

A おほめの言葉とお気遣いをありがとう。言っていることはわかるよ。でも，このプロジェクトはやらなければならないことがとてもたくさんあるので，休むわけにはいかないんだ。

B Is there anything I can do to help?

A わあ，それは嬉しいな。ええと…，この書類のデータをスプレッドシートに入力してもらえるかな？

B No problem. I can do this in about thirty minutes.

称賛

A おお，速いね。こういう仕事を君ほど速くできる人はここには他にいないよ。

B Thanks. I am very much flattered.

11
ほめる

∴ Words & Phrases ∴

A □ スプレッドシート spreadsheet　　□ 入力する input
B □ work overtime 残業する　　□ overdo やりすぎる

181

ROLE-PLAYING 2

解答例を確認しましょう。

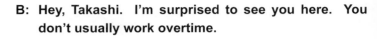

B: Hey, Takashi. I'm surprised to see you here. You don't usually work overtime.

A: I know. I have to get these translations done by tomorrow morning.

称賛

B: You've really been working hard recently. But you also have to be careful not to overdo it.

応答・お礼

A: Thank you for your praise and concern. I know what you mean. But there's just so much work that has to be done for this project that I can't take a break.

B: Is there anything I can do to help?

A: Oh, wow... That would be wonderful. Um… Could you input the data from these papers into a spreadsheet?

B: No problem. I can do this in about thirty minutes.

称賛

A: Wow, that's fast. There's no one else here who can do this kind of work as quickly as you.

応答・お礼

B: Thanks. I am very much flattered.

訳　B：あら，タカシ。あなたがいるなんて驚いたわ。普段，残業はしないのに。
　　A：そうだよね。この翻訳を明日の朝までに終わらせなければならなくて。
　　B：最近，とても熱心に仕事をしているわね。でもがんばりすぎないように気をつけなければいけないわ。
　　A：おほめの言葉とお気遣いをありがとう。言っていることはわかるよ。でも，このプロジェクトはやらなければならないことがとてもたくさんあるので，休むわけにはいかないんだ。
　　B：何か手伝えることはある？
　　A：わあ，それは嬉しいな。ええと…，この書類のデータをスプレッドシートに入力してもらえるかな？
　　B：いいわよ。30分くらいでできるわ。
　　A：おお，速いね。こういう仕事を君ほど速くできる人はここには他にいないよ。
　　B：ありがとう。それはほめすぎよ。

ROLE-PLAYING 3

[**Scene** 昇進が決まった同僚について立ち話をしています。]

Task

❶ Aの発言を英語で考えましょう。「ほめる」に関する表現については, 左のフレームと前の部分で学習した表現を参考に表現してみましょう。単語・語句は下の **∴ Words & Phrases ∴** も参考にしてみてください。

❷ 音声を聞きながらAになりきって発話しましょう。音声ではBの発言のみが流れ, Aの発言部分はポーズになっています。

♪286
B only

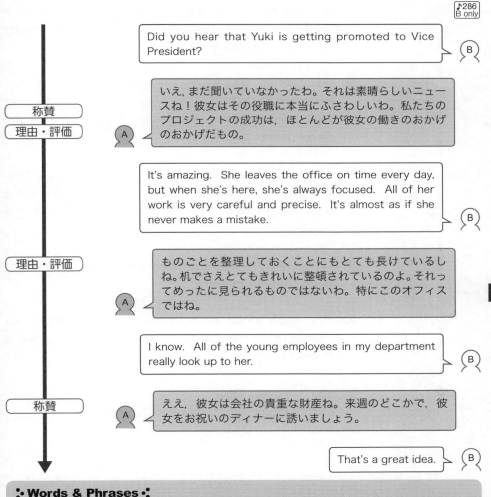

Did you hear that Yuki is getting promoted to Vice President?

B

称賛
理由・評価

A

いえ, まだ聞いていなかったわ。それは素晴らしいニュースね！彼女はその役職に本当にふさわしいわ。私たちのプロジェクトの成功は, ほとんどが彼女の働きのおかげのおかげだもの。

It's amazing. She leaves the office on time every day, but when she's here, she's always focused. All of her work is very careful and precise. It's almost as if she never makes a mistake.

B

理由・評価

A

ものごとを整理しておくことにもとても長けているしね。机でさえとてもきれいに整頓されているのよ。それってめったに見られるものではないわ。特にこのオフィスではね。

11
ほめる

I know. All of the young employees in my department really look up to her.

B

称賛

A

ええ, 彼女は会社の貴重な財産ね。来週のどこかで, 彼女をお祝いのディナーに誘いましょう。

That's a great idea.

B

∴ Words & Phrases ∴

A □ ～にふさわしい：～に値する deserve □ ～を整理する：～を系統立てる organize
  □ きれいに：きちんと neatly □ 財産 asset
B □ get promoted 昇進する

183

ROLE-PLAYING 3

解答例を確認しましょう。

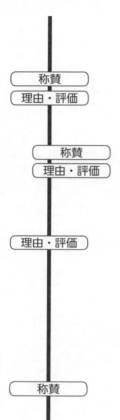

B: Did you hear that Yuki is getting promoted to Vice President?

称賛
理由・評価

A: No, I haven't heard that yet. That's great news! She really deserves it. Our projects' success was mostly because of all the work she did.

称賛
理由・評価

B: It's amazing. She leaves the office on time every day, but when she's here, she's always focused. All of her work is very careful and precise. It's almost as if she never makes a mistake.

理由・評価

A: She's also very good at keeping things organized. Even her desk is very neatly arranged. That's not something you see very often — especially in this office!

B: I know. All of the young employees in my department really look up to her.

称賛

A: Yes, she's a real asset to the company. Maybe we should invite her out for dinner one night next week to celebrate.

B: That's a great idea.

訳　B：ユキが副社長に昇進するって聞いた ？
　　A：いえ，初めて聞いたわ。それは素晴らしいニュースね！彼女はその役職に本当にふさわしいわ。私たちのプロジェクトの成功は，ほとんどが彼女の働きのおかげのおかげだもの。
　　B：すごいよね。彼女は毎日定時に退社するけど，会社にいる間はずっと集中している。どの仕事も注意が行き届いていて，正確なんだよね。決してミスしないと言っていいほどだ。
　　A：ものごとを整理しておくことにもとても長けているしね。机でさえとてもきれいに整頓されているのよ。それってめったに見られるものではないわ。特にこのオフィスではね。
　　B：そうだね。僕の部署の若い社員はみんな，本当に彼女を尊敬しているよ。
　　A：ええ，彼女は会社の貴重な財産ね。来週のどこかで，彼女をお祝いのディナーに誘いましょう。
　　B：いい考えだね。

Review

ROLE-PLAYING 1：仕事がうまくいったという同僚を称賛する場面で，誠実さ，粘り強さに加え，データに説得力があったという具体的な事実に触れることで，ほめられた側も「自分の仕事をよく見てくれている」ということがわかりモチベーションがあがるはずです。ポジティブなお礼の表現もすぐに口から出てくるよう復習しておきましょう。

ROLE-PLAYING 2：残業中の同僚の熱心な仕事ぶりをほめる表現，手伝ってくれるという同僚の仕事の速さをほめる表現に着目しましょう。会話の中に出てくる「申し出」（Is there anything I can do to help?）や「依頼」（Could you input ～?）の表現も確認しておきましょう。

ROLE-PLAYING 3：その場にいない第三者を称賛しています。ＡＢどちらのセリフにも「ほめる」表現が含まれていますので，両方のロールプレイをして使えるフレーズのバリエーションを増やしておくとよいですね。

COLUMN

11
ほめる

仕事とプライベートは一線を画すべきで，職場ではあまり踏み込んだ話をしない方がよいと考える人もいると思います。しかし，相手に関心を示すことで，文化を超えて互いの理解が深まり，ビジネスでも相手と付き合いやすくなるという利点もあります。アメリカ人と仕事をしていた時のこと，休み前になると「週末は何をするの？」と話題になることもよくありました。「狩りに行く予定」という相手に，さすがアメリカだなと思ったものですが，そんな時に Sounds great!（いいですね！）と話に乗ってみたり，「自分は…して過ごすつもりです」と話したりすると，次に会話する時に「～はどうだった？」と話が弾むきっかけになったりもします。

また，アメリカの知人宅に数人で遊びにいったときのこと。それぞれ手料理を持ち寄ったのですが，美味しいと思ったときには，This is so delicious! Can I have this recipe?（これすごく美味しいんだけど，レシピを教えてもらえる？）と聞いたりして，情報交換しながら互いの国の料理の話などで盛り上がるといったこともありました。このように仕事でもプライベートでも，「ほめる」ということは相手との距離を縮める一歩になったりもします。ちょっとでも「いいな！」と思うことがあれば，躊躇せず「ほめ言葉」を口に出してみましょう。相手もきっと素直に喜んでくれるはずです。

12 | 交渉する

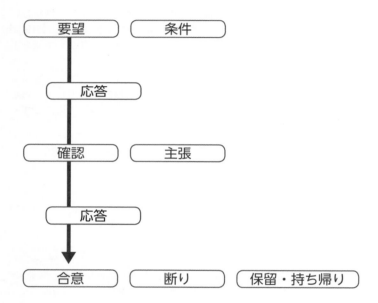

要望   条件

応答

確認   主張

応答

合意   断り   保留・持ち帰り

商品の受注や契約について他社とやり取りしたり，販売戦略について他部署とやり取りするなど，ビジネスではさまざまな場面で交渉が必要になりますね。交渉では自分の立場や意見を明確に伝えることが重要なのはもちろんですが，ただ強く意見を押し通すだけでなく，相手を配慮した控え目な表現を使いこなすことも大切です。

要望／条件

交渉の際にこちらの要望などを伝える上で役立つのが，**if を用いた条件文**（もし…するとしたら…を検討していただけますか）や **could，would を用いた丁寧な依頼文**です。ビジネスではさまざまな場面で相手との交渉が必要になりますが，そういった場合に，一方的に自分の要望を伝えるだけでなく，丁寧な表現で相手への配慮を示すことも大切です。

確認／主張

交渉をうまく進めるためには，相手の主張やその背景を正しく理解するということも欠かせません。また，相手の回答が自分の要求・考えと合わない場合には，その旨を明確に伝える必要があります。重要なポイントを正しく理解できていなかったり，コミュニケーション不足により互いに誤解が生じていたりすると，全体としての不利益にもつながってしまいます。

実際の交渉の場では，互いに要望・主張を出し合い，さらに譲歩案を出し合って妥協点を探るなど，合意に至るまでにはさまざまな話し合いが繰り返されることになります。

合意 （交渉成立）

最終的に相手の案を受け入れられる局面に達した場合には，それを **That's acceptable to us.**（それには応じられます。）といった形で表すようにします。さらに細かい点について振り返りが必要な場合には **Let's confirm the details, then.**（では，詳細について確認していきましょう。）といった形で話を切り出し，互いに合意内容の確認を行っていくようにしましょう。

断り （交渉不成立）

合意に達しなかったり，条件が折り合わなかったりした場合であっても，**I'm afraid we can't accept that.**（残念ながらそれに応じることはできません。）のような表現で，相手への配慮を忘れず，友好関係を保った上で今後のビジネスにつなげていけるようにしましょう。

保留・持ち帰り

話し合いを続けても交渉がまとまらない場合には，「いったん終了させて別の機会に話し合いの場を設ける」「互いに持ち帰って検討する」といった方法を取ることも必要になります。

要望／条件

□ 御社が弊社のテクニカルサポートを行うとしたら，いくら費用がかかりますか。

If you provided technical support for our business, how much would it cost?

□ もし1年間の無料延長保証を提供してもらえるのであれば，取引します。

If you can offer a free 1-year extended warranty, we have a deal.

□ 10%の値下げを行っていただけるのであれば，今すぐ契約書に署名いたします。

If you give us a 10% discount, then we will sign the contract right now.

□ 50台以上の注文をお約束するとしたら，もう少し安くなりませんか。

If we commit to order more than 50 units, could you offer us a better price?

□ 5000ドル以上の注文については，無料配送を検討していただけるとありがたいです。

We'd be grateful if you could consider offering free shipping on orders over $5,000.

□ 大量注文の際には，どのような割引があるのか教えていただけますか。

Could you please tell me what discount you can give us for large-volume orders?

□ お客様の要望に応えるため，MD-40の納期を早めることは可能でしょうか。

Is it possible to move up the delivery date of MD-40 to meet customer requirements?

□ まとめて購入する代わりに，サポート期間を1年から3年に延長していただけませんか。

Would you be willing to extend the support period from one to three years in return for bulk orders?

□ オーダーの数を倍にした場合，後払いに応じていただけますか。

Would you be agreeable to a deferred payment if we doubled the number of units in our order?

□ 弊社は10万台超の初回注文を検討しています。これと引き換えに，どのような価格条件を提示していただけるでしょうか。

We're considering an initial order in excess of 100,000 units. In return for this, what kind of pricing would you be willing to offer us?

□ 20日までに発注していただかなければ，納期の保証は難しくなります。

It may be difficult to guarantee the delivery date unless you place an order by the 20th.

□ 御社の提案を受け入れる用意がありますが，一つ条件があります。

We are ready to accept your offer; however, there's one condition.

□ 弊社からの提案は，年俸7万5千ドルと年間3週間の有給休暇です。

Here's what we'd like to suggest: we can give you a salary of $75,000 and 3 weeks' paid leave per year.

12
交渉する

Tips　仮定法を使いこなそう

仮定法というと，現在の話なのに過去形を用いるなど，文法が複雑だというイメージを持っている方も多いかもしれませんが，時制を過去にずらすことで「現実にはそうではないが，もしそうだったら」という遠まわしな仮定を表し，日常会話でもよく登場する表現です。距離感を保って直接的に伝えるのを避けることから丁寧なニュアンスになり，相手に謙虚にお願いする際に適した表現となります。交渉の場面で，「条件を変えたら見積もりはどうなりますか」「もう少し値段を下げていただけませんか」「無料配送を検討していただけるとありがたいです」といった発言をする場合にも仮定法は活用できます。今一度仮定法の基本を確認して，交渉の中にもうまく取り入れられるようにしておきましょう。

確認

交渉で理解が不十分な内容がある場合は，その場ですぐに確認することが重要です。「4　確認する」
（p.60 〜 62）も参考にしてください。

♪292
日→英　♪293
QR　♪294
英

□ つまりまとめて購入すれば，追加で5%の割引を行っていただけるということでしょうか。

Do you mean you can toss in an extra 5% discount if we buy in bulk?

□ つまり，弊社はライセンス料も払わなければならないということですね。

What you mean is we'll also have to pay the licensing fees.

□ 送料は価格に含まれていますか。

Is the freight charge included in the price?

□ 柔軟なスケジュールというのは具体的にどういうことですか。

What exactly do you mean by flexible schedule?

□ もう少し具体的に言っていただけますか。

Could you be more specific?

□ それについてもう少し詳しく聞かせていただけますか。

Could you elaborate on that?

□ その問題にどう対処するつもりなのか教えていただけますか。

Could you tell me how you intend to deal with the problem?

□ どのくらいとお考えだったのですか。

What figure did you have in mind?

＊数字について尋ねる

相手と話がかみ合わなくなってきた場合には，はっきり自分の考えや要求を伝える必要があります。

♪295 日→英　♪296 QR　♪297 英

☐ 我が社が主に重点を置いているのは，価格のために品質を犠牲にしないということです。

Our main priority is not to sacrifice quality for price.

☐ そうですね，弊社としては1個あたり＄5.25程度になればいいと考えていました。

Well, we were hoping for something around $5.25 per unit.

＊相手が提示してきた額よりももっと安いと考えていたと伝える

☐ ちょっと誤解があったようですが。

There seems to have been a slight misunderstanding.

☐ それは我々の考えていたのと少々異なります。

That's not quite what we had in mind.

☐ 今回の提案は，先日うかがったものとかなり異っているように思います。

This proposal appears to be quite different from what we heard the other day.

12
交渉する

Tips 相手の意見に異論がある時の表現

交渉においては，時として相手の発言内容に対して異論を唱える必要が生じることもありますが，こうした場合に知っておくと便利なのが，In my opinion, / From my perspective, （私の考えでは）といった前置きの表現を用いて，「自分は相手と異なる考えをもっている」ということを間接的に伝える方法です。また相手の発言を訂正したい場面では appear to be 〜（〜のように思われる）を用いると，婉曲的に何か問題があるということを示唆することができます。明らかな数字の誤りを指摘する場合には should を用いるなど，状況に応じて強弱にメリハリをつけながら自分の意見を述べられるようにしておきたいですね。
You mentioned earlier the initial order quantity would be 30,000 units, but **should**n't it be 50,000? （先ほどの話では初回注文が3万台ということでしたが，5万台の間違いではないでしょうか。）

合意（交渉成立）

「3 意見を述べる　賛成意見を述べる」（p.47）で扱った表現も参考にしてください。

♪298 日→英 ♪299 QR ♪300 英

□ それには応じられます。
That's acceptable to us.

□ それであれば応じられると思います。
I think that'd be acceptable. ／ That would be acceptable.

□ 合意ですね。
I think we have a deal. ／ We're in agreement.

□ 妥当だと思います。
That sounds reasonable.

□ 合意に達しましたね。
I think we've reached an agreement here.

□ それで満足です。
I'm happy with that.

□ では，詳細について確認していきましょう。
Let's confirm the details, then.

断り（交渉不成立）

♪301 日→英 ♪302 QR ♪303 英

□ 残念ながら，それに応じることはできません。
I'm afraid we can't accept that.

□ 申し訳ありませんが，ご提示の条件には同意できません。
I'm sorry, but I don't think we can agree to your terms.

□ これらの条件では，御社に協力することはできません。
Under these conditions, we can't cooperate with you.

☐ 正直に申し上げて，提示された内容には満足していません。	**Frankly,** we are not satisfied with **the offer on the table.**
☐ これ以上の値下げには応じられません。	**We** can't make any further reductions.
☐ 残念ながら，そこまでのことはできないと考えています。	**Unfortunately,** we don't think we could go that far. ＊相手の値下げ要求などに対して
☐ これ以上話し合いを続ける意味はないように思います。	**I'm afraid** there's no point in continuing our talks.
☐ 両者にとって困難だと思います。	That's really tough **for both of us.**
☐ それはうまくいかないと思います。	**I'm afraid** it won't work **for us.**
☐ それは弊社の望むものではありません。	That's not exactly what we want.
☐ 事情はわかりますが，やはり支払える金額ではありません。	**I see where you're coming from, but** we can't still afford **it.**
☐ それほどの予算はありません。	We don't have **that kind of** budget.

12
交渉する

Tips 次のビジネスにつながる対応を

ビジネスではさまざまな局面で Yes ／ No の決断をしなければならないケースが出てきますが，その際に強く No! と返しては相手に失礼な印象を与えてしまいます。良好なビジネス関係を維持していくためにも，断る際にも Unfortunately, ／ I'm sorry, but … ／ I'm afraid … などの表現を用いて相手への配慮を示すことが大切です。一方で，遠まわしに言いすぎて相手に言いたいことが伝わらないといったことになると，またトラブルの原因となりますので，断る際には，理由を添えたり代案を提示するなどして，Yes ／ No の意思を明確に示すことも重要です。

保留・持ち帰り

♪304 日→英 ♪305 QR ♪306 英

□ 申し訳ありませんが，今すぐ決断を下すことはできません。

I'm afraid I can't make a decision immediately.

□ これについては結論に行き着かないようなので，また次回話し合うことにしましょうか。

We don't seem to be getting anywhere with this, so maybe we could talk about it next time.

□ いずれにしても，協力に向けて別の可能性を模索していくことにしましょう。

But anyhow, I think we should explore other possibilities of working together.

□ 相違点は留保しつつ，妥協点を探っていきましょう。

Let's continue to seek common ground while maintaining our differences.

□ これについては，別の会議で話し合った方がよいと思います。

I think it would be better to leave this for another meeting.

□ それについては，また別の機会に持ち越さざるをえませんね。

We'll have to leave that for another time.

□ それについては，また後日詳しく話し合うことにしましょう。

Let's discuss it in more detail at a later date.

□ この件についてはチームのメンバーと話し合って，今週中にご連絡いたします。

I'll discuss this issue with the rest of my team and get back to you by the end of the week.

□ 一晩考えさせてください。この件については，後日ご連絡いたします。

Let me sleep on it. I'll get back to you on this later.

ROLE-PLAYING 1

Task ❶Aの発言を英語で考えましょう。「交渉」に関する表現については，左のフレームと前の部分で学習した表現を参考に表現してみましょう。単語・語句は下の **Words & Phrases** も参考にしてみてください。

❷音声を聞きながらAになりきって発話しましょう。音声ではBの発言のみが流れ，Aの発言部分はポーズになっています。

♪307
B only

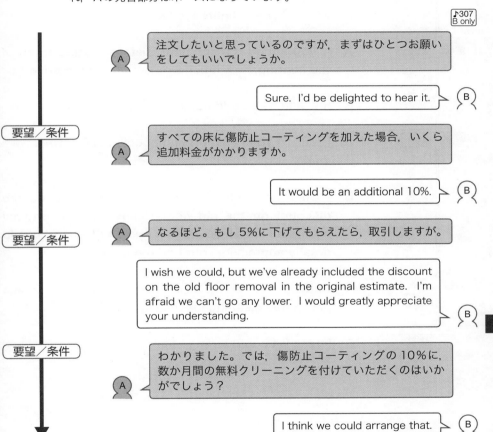

A 注文したいと思っているのですが，まずはひとつお願いをしてもいいでしょうか。

B Sure. I'd be delighted to hear it.

要望／条件

A すべての床に傷防止コーティングを加えた場合，いくら追加料金がかかりますか。

B It would be an additional 10%.

要望／条件

A なるほど。もし5%に下げてもらえたら，取引しますが。

B I wish we could, but we've already included the discount on the old floor removal in the original estimate. I'm afraid we can't go any lower. I would greatly appreciate your understanding.

要望／条件

A わかりました。では，傷防止コーティングの10%に，数か月間の無料クリーニングを付けていただくのはいかがでしょう？

B I think we could arrange that.

12
交渉する

Words & Phrases

A □ 注文する　place an order　　□ お願いする　make a request
　□ 傷防止コーティング　scratch-resistant coating
B □ additional　追加の　　□ estimate　見積り
　□ arrange　〜を手配する

195

ROLE-PLAYING 1

解答例を確認しましょう。

♪308 A and B　♪309 A only　♪307 B only

A: We're interested in placing an order, but first, could I make a request?

B: Sure. I'd be delighted to hear it.

要望／条件
A: **If** you added the scratch-resistant coating to all of the flooring, how much would it add to the price?

応答
B: **It would be an additional 10%.**

要望／条件
A: I see... **If you could bring that down to 5%,** we have a deal.

応答
B: I wish we could, but we've already included the discount on the old floor removal in the original estimate. I'm afraid we can't go any lower. I would greatly appreciate your understanding.

要望／条件
A: Okay... How about 10% for the scratch-resistance plus a free cleaning in a few months?

応答
B: I think we could arrange that.

訳
A：注文したいと思っているのですが，まずはひとつお願いをしてもいいでしょうか。
B：ええ，ぜひお聞かせください。
A：すべての床に傷防止コーティングを加えた場合，いくら追加料金がかかりますか。
B：10%追加になります。
A：なるほど。もし5%に下げてもらえたら，取引しますが。
B：そうしたいところなのですが，元々の見積りで古い床の除去費用にすでに割引を含んでいるのです。申し訳ないですが，これ以上の値下げは難しいです。ご理解いただけると大変ありがたいです。
A：わかりました。では，傷防止コーティングの10%に，数か月間の無料クリーニングを付けていただくのはいかがでしょう。
B：それでしたら，何とかできると思います。

ROLE-PLAYING 2

Task
❶Aの発言を英語で考えましょう。「交渉」に関する表現については，左のフレームと前の部分で学習した表現を参考に表現してみましょう。単語・語句は下の ❖ **Words & Phrases** ❖ も参考にしてみてください。
❷音声を聞きながらAになりきって発話しましょう。音声ではBの発言のみが流れ，Aの発言部分はポーズになっています。

♪310
B only

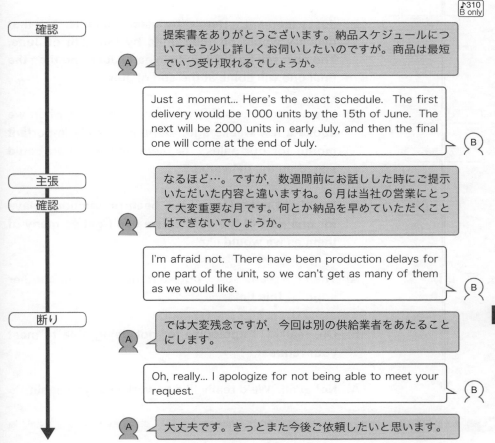

確認

A 提案書をありがとうございます。納品スケジュールについてもう少し詳しくお伺いしたいのですが。商品は最短でいつ受け取れるでしょうか。

B Just a moment... Here's the exact schedule. The first delivery would be 1000 units by the 15th of June. The next will be 2000 units in early July, and then the final one will come at the end of July.

主張
確認

A なるほど…。ですが，数週間前にお話しした時にご提示いただいた内容と違いますね。6月は当社の営業にとって大変重要な月です。何とか納品を早めていただくことはできないでしょうか。

B I'm afraid not. There have been production delays for one part of the unit, so we can't get as many of them as we would like.

断り

A では大変残念ですが，今回は別の供給業者をあたることにします。

B Oh, really... I apologize for not being able to meet your request.

A 大丈夫です。きっとまた今後ご依頼したいと思います。

12
交渉する

❖ Words & Phrases ❖
A □ 提案書 proposal　　□ 納品スケジュール delivery schedule
　 □ 供給業者 supplier

197

ROLE-PLAYING 2

解答例を確認しましょう。

♪311 A and B ♪312 A only ♪310 B only

確認

A: Thank you for giving us your proposal. I'd like to know a little more about the delivery schedule. When is the earliest we could have the products?

応答

B: Just a moment… Here's the exact schedule. The first delivery would be 1000 units by the 15th of June. The next will be 2000 units in early July, and then the final one will come at the end of July.

主張

確認

A: I see… But that's not what you proposed when we spoke a few weeks ago. June is a really important month for our sales. Is there any way you could speed up the deliveries?

応答

B: I'm afraid not. There have been production delays for one part of the unit, so we can't get as many of them as we would like.

断り

A: Then I'm really sorry, but we're going to find another supplier this time.

B: Oh, really… I apologize for not being able to meet your request.

A: Not at all. We'd really like to work with you again.

訳
A：提案書をありがとうございます。納品スケジュールについてもう少し詳しくお伺いしたいのですが。商品は最短でいつ受け取れるでしょうか。
B：少しお待ちください。こちらが正確なスケジュールです。最初に 1000 ユニットを 6 月 15 日までに納品させていただきます。次が 2000 ユニットで 7 月上旬，最後の納品が 7 月末となります。
A：なるほど。ですが，数週間前にお話しした時にご提示いただいた内容と違いますね。6 月は当社の営業にとって大変重要な月です。何とか納品を早めていただくことはできないでしょうか。
B：申し訳ございませんが難しいです。ユニットのうち 1 つの部品の製造に遅れが出ておりまして，欲しい数をそろえることができないのです。
A：では大変残念ですが，今回は別の供給業者をあたることにします。
B：そうですか。ご要望にお応えできず申し訳ありません。
A：大丈夫です。きっとまた今後ご依頼したいと思います。

ROLE-PLAYING 3

[**Scene** 社内の他チームの担当者と販売戦略について話し合っています。]

Task

❶Aの発言を英語で考えましょう。「交渉」に関する表現については，左のフレームと前の部分で学習した表現を参考に表現してみましょう。単語・語句は下の **• Words & Phrases •** も参考にしてみてください。

❷音声を聞きながらAになりきって発話しましょう。音声ではBの発言のみが流れ，Aの発言部分はポーズになっています。

♪313
B only

B: I think we should change the sales strategy for our new cameras. Why don't we start targeting younger customers on social media?

確認

A: うーん…。どうしてそう思うのですか。

B: A lot of people want better cameras to share photos and videos online. We need to reach out to them more.

確認

A: なるほど…，おもしろい案ですね。その主張を支えるデータや調査があるのですか？

B: Not really. I'm sure we could find some, but …

主張

A: そうですね，おそらくは。でも私は今の販売戦略を続けるべきだと思います。広範囲に及ぶ調査をして，うまくいっていることがわかっていますからね。

B: You may be right, but times are changing. I think we should be prepared to meet changing needs.

保留・持ち帰り

A: その通りですね。でも，何事にも即座に同意はできません。チームの他の人達と話し合って，来週返事をしますよ。

12
交渉する

• Words & Phrases •

A □ 主張 claim
　□ 一方で in the meantime
　□ 広範囲に及ぶ extensive
B □ reach out to 〜 〜に働きかける
　□ 〜を支える back up 〜
　□ 〜を堅持する stick with 〜

199

ROLE-PLAYING 3

解答例を確認しましょう。

B: I think we should change the sales strategy for our new cameras. Why don't we start targeting younger customers on social media?

確認

A: Hmm… What makes you think that?

応答

B: A lot of people want better cameras to share photos and videos online. We need to reach out to them more.

確認

A: Well… It's an interesting idea. Do you have any data or research to back up that claim?

応答

B: Not really. I'm sure we could find some, but…

主張

A: Yes, perhaps. In the meantime, I think we should stick with the sales strategy we have been using. We've done extensive research and we know it works.

応答

B: You may be right, but times are changing. I think we should be prepared to meet changing needs.

A: Good point. But I can't agree to anything right away. I'll talk it over with the rest of my team and get back to you next week.

保留・持ち帰り

訳
B：私は新しいカメラの販売戦略を変えた方がいいと思います。ソーシャルメディアを利用するもっと若い客層を対象にしてはどうでしょうか。
A：うーん…。どうしてそう思うのですか。
B：ネット上で写真や動画を共有するために，より性能のいいカメラを欲しがっている人はたくさんいます。そういう人たちにもっとアピールしていく必要があると思います。
A：なるほど…，おもしろい案ですね。その主張を支えるデータや調査があるのですか？
B：そういうわけではありません。探せば必ず見つかるとは思いますが…。
A：そうですね，おそらくは。でも私は今の販売戦略を続けるべきだと思います。広範囲に及ぶ調査をして，うまくいっていることがわかっていますからね。
B：そうかもしれません。ですが時代は変わっていますよね。ニーズの変化に合わせる心積もりは必要だと思うのです。
A：その通りですね。でも，何事にも即座に同意できません。チームの他の人達と話し合って，来週返事をしますよ。

Review

ROLE-PLAYING 1：典型的な価格交渉の場面です。If you added ..., If you could bring ... と仮定法を用いることで，控え目に要望を伝えています。B の I wish we could, but ... や I'm afraid we can't ... のようなやわらかい断りの回答も使いこなせるようにしておきましょう。

ROLE-PLAYING 2：業者からの提案を受けて，納品スケジュールの詳細を確認しています。回答が最初に聞いていたものと異なっている点を指摘し，さらに交渉を続けます。結局折り合いがつかずに委託には至りませんでしたが，次の機会に向けて前向きな発言で締めくくっていることに注目しましょう。

ROLE-PLAYING 3：カメラの販売戦略を変えるべきだと主張する他チームの担当者と話し合っています。相手がそう考える理由，その根拠など詳細を確認する表現，相手の案を認めたうえで，自分の考えを主張する表現，持ち帰りとする際の表現を押さえておきましょう。

COLUMN

ビジネス交渉では，顧客の要望を理解することも重要ですが，すべて相手の言う通りというのも危険が伴います。「急いでオーダーを増やしたいので何とか対応してほしい」と言われた時に，目先の利益にとらわれて，検証もせず顧客の要望に応じていたとしたらどうでしょう。それが一過性のものだったとしたら，追加投資した設備などのコストも回収できないまま生産終了となり，のちに多額の損失発生という最悪のケースも考えられます。私がかつて担当していた海外向け製品も，オーダーの短期的な増減が大きく，そのたびに「急に人員を増強したり生産ラインを増やしたりするようなことはできない」とよく工場からは釘をさされていたものです。そこで，このような交渉の際に重要になってくるのが，相手と「条件付きの交渉をする」ということです。例えば，We might be able to work on ～ , if you could ... （…していただけるのであれば～に応じられるかもしれません）のように，要望に応じる代わりに，相手にも「先々の購入数量を確約してもらう」などの条件を提示しておくのです。これにより，一方的にこちら側だけが不利益を被るような状況を回避することができます。また，そのような確約を取り付けておくことで，社内の関連部門に対して協力を要請しやすくなるというメリットもあります。やはり利益を上げてこそのビジネスの世界，交渉時に役立つフレーズを身につけ，実務においても有利に交渉を進められるようにしておきたいですね。

MEMO

MEMO

MEMO

MEMO

MEMO

MEMO

【執筆・校閲協力】

（解説執筆）　高橋知子，岡崎恭子

（コラム執筆）　高橋知子，日和加代子

（英文執筆）　Kevin Glenz

（校閲）　佐々木洋子

【音声吹き込み】

Howard Colefield

Rumiko Varnes

日置秀馬

加藤亜衣子

書籍のアンケートにご協力ください

抽選で図書カードを
プレゼント！

Ｚ会の「個人情報の取り扱いについて」はＺ会
Web サイト（https://www.zkai.co.jp/home/
policy/）に掲載しておりますのでご覧ください。

実践ビジネス英会話　コミュニケーションを広げる 12 フレーム

初版第 1 刷発行‥‥‥‥‥‥‥ 2020 年 3 月 10 日

著者‥‥‥‥‥‥‥‥‥‥‥ Ｚ会編集部

発行人‥‥‥‥‥‥‥‥‥‥ 藤井孝昭

発行‥‥‥‥‥‥‥‥‥‥‥ Ｚ会

　　　　　　　　　　　　〒 411-0033　静岡県三島市文教町 1-9-11

　　　　　　　　　　　　TEL 055-976-9095

　　　　　　　　　　　　https://www.zkai.co.jp/books/

装丁‥‥‥‥‥‥‥‥‥‥‥ 萩原弦一郎（合同会社 256）

DTP ‥‥‥‥‥‥‥‥‥‥‥ 株式会社 デジタルプレス

録音・編集‥‥‥‥‥‥‥‥ 株式会社 ジーアングル

印刷・製本‥‥‥‥‥‥‥‥ 日経印刷株式会社